秋草齋韋草 雙松翠鬣館珍藏

翰墨緣名家詩翰墨蹟選輯

己巳秋 錫山通叟題贉

秋草齋章草

翰墨菁華

蔣彥士

通誼姻長以先德味雲太姻長秋草齋遺墨，名賢往來書札，詩詞唱酬之作，題名翰墨緣，裝潢成冊，珍藏於歙浦雙松翠鬟之館。數十年來，斯冊迭遭文字浩劫及天災地震之禍。終能合浦珠還。通老喜極，名之為秋草齋幸草。論衡云：野火不燔，謂之幸草。今用以名斯冊，誰曰不宜。抑有進者。通老雖珍惜斯冊，但不敢自秘，選輯其中名家詩翰墨蹟，公諸於世，願承其事者進行編攝、達兩閱年、復以紙源不繼、陷於停頓。適通老因事來台、得與文史哲出版社謀之。經理彭君訝為奇遇、不可失之交臂、力承其乏、遂得問世。豈非幸草之又一幸乎。語云：為善者必有後福。固知通老為發揚文化、表彰先德、耄年奔走、不遺餘力、天必佑之。今在寶島得驗證之矣。故樂為之序。

己巳秋孔子七十七世嫡孫曲阜孔德成敬書

壬申春余自美歸國執教滬杭两地先君
味雲公寄寓津门与當代名流詩酒往還
余歲時返津定省隨侍左側見秋草齋中
有先君手筆題翰墨緣数册啟而視之則
皆當代名賢書札往來詩詞唱酬之作余
愛不忍釋先君曰此翰墨之菁華有閱歷

史掌故尔其藏之以垂久遠余喜極拜受
携歸裝成冊頁暇輙取閱不啻酌甘泉而
飲香茗也十年動乱此冊失而復得如有
宿缘益珍視之名為秋草齋章草摯友王
壮弘精金石书画鉴定之学一日過余見
此数冊惊為稀有謂余曰盍選印若干首

以公諸同好乎余曰先君雲左山房藏書
萬卷金石字画亦足相称文字浩劫所餘
無幾未幾津门大地震房屋盡毁益蕩然
無存矣翰墨緣獨得幸存豈非天乎余不
敢自私請出版问世余垂々老矣往事歷
歷如左目前其大者遠者如過眼烟雲無

足戀者獨此名篇佳什吉光片羽經先德手澤淂使海内外同好咸為之歡欣贊嘆摩挲而不厭弥足慰矣丁卯夏錫山通史楊通誼書於歇浦雙松翠巖之館時年八十又三

翰墨緣名家詩翰墨蹟選輯

目錄

味雲老兄如面月前一別又易蟾圓
台從出都後弟忝有采薪之憂謝杜
親朋我於滿城風雨平復後迴於華子
且為債累不得已賣畫自活而急售轉
難得價乃思以三畫暫押二千元以清眉
急聞公日義心俠骨推

樊增祥

贊華閣及桐盦緩急可商耳果也一七
而成鉅款立致老懷寬定卒業乃資皆
仁人之惠也藝、詩、并在陸家席上
君問令之作序為誰以弟所知獨步江左唯乃
閣下耳
君苟肯為讀為作為商量立可成家名世
何患不傳耶請
著安並頌潭福不一一　增祥頓首　十八日

樊增祥

樊增祥

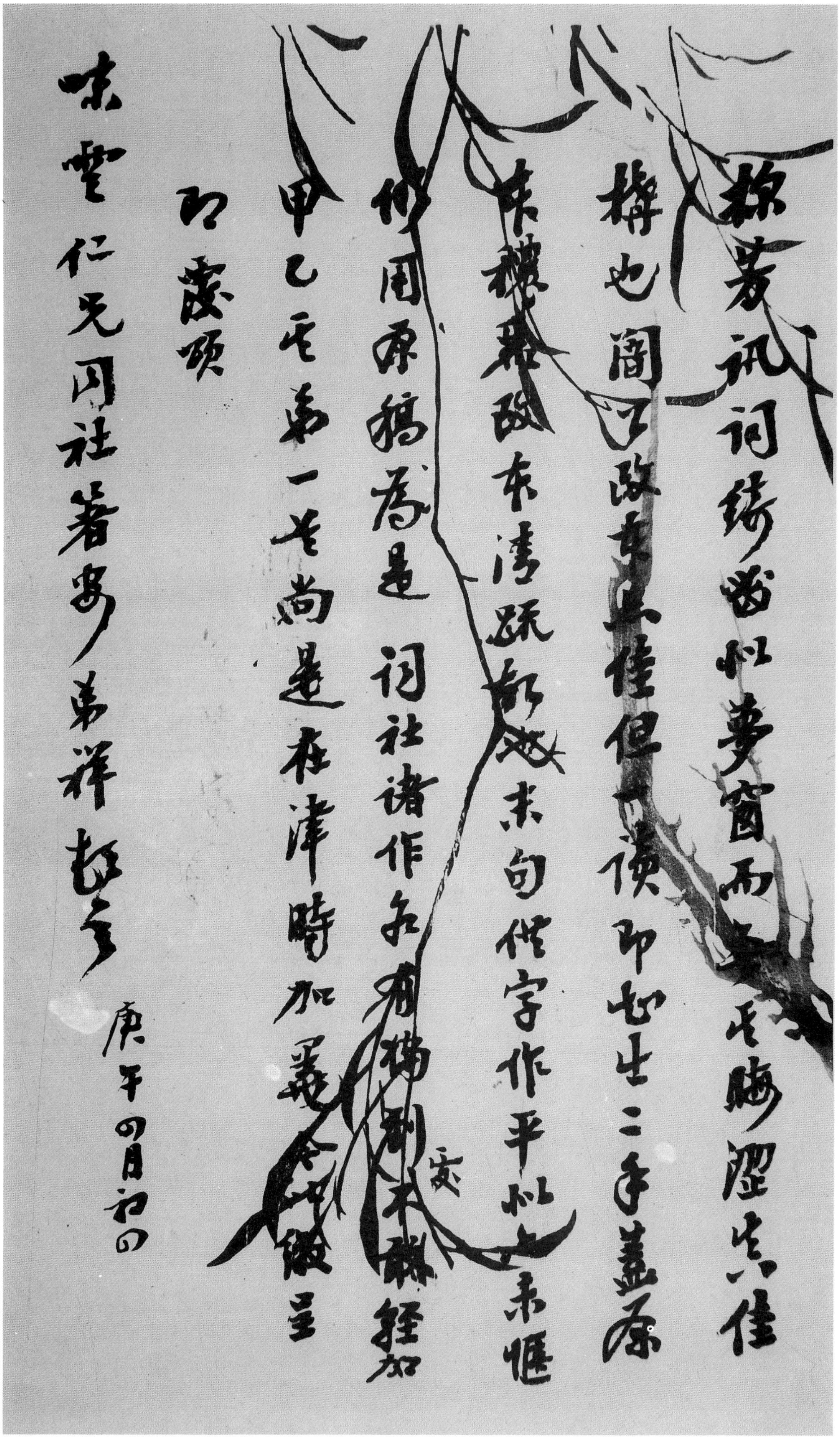
稼芳訊詞綉幽似夢窗而乏其勝澀處佳
構也闇公改本亦佳但一讀即知出二手蓋原
本穠麗改本清疏故也末句從字作平似未愜
仍用原稿爲是　詞社諸作各有獨到不厭經加安
甲乙其第一其尚是在津時加墨今并繳呈
即[illegible]頌
味雲仁兄同社著安　弟祥頓首
庚午四月初四

金縷曲　己巳花朝後一日至沽上　味雲世兄以此調見
贈並約詞社諸公爲歡迎之會賦此爲報並寄命
弟潘陽
過了花朝節指煙波丁沽七二來爲寄客一箇野人如
冰冷闖入詞場火熱便高會蕭齋魚蘖月府覺裘
同日詠老猿吟換却啼鵑血氣一去泥一石　故鄉
烽火連三月勝吾曹昌樓趺宕玉笙吹徹二柳侶推
稱楊葉花月從南從北讓領袖騷壇英絕更懷遼
陽來若妹傳大雷書雁傳花葉十日飲再之別
味雲仁兄正拍　三月初四日弟增祥呈

烽火連三月勝吾曹高樓跌宕玉笙吹徹二柳俱摧
孫楊漾花月從南徙北讓領袖騷壇英絶更懷遼
陽來若妹傳大雷書雁傳花葉十日飲再之別
味雲仁兄正拍 三月初四日弟增祥上
昨偶作一律夜眠未足今日殊不適 有辜
佳約甚歉然也此詞外尚有滿庭芳懷
舊遊二詞容另寄上 又及

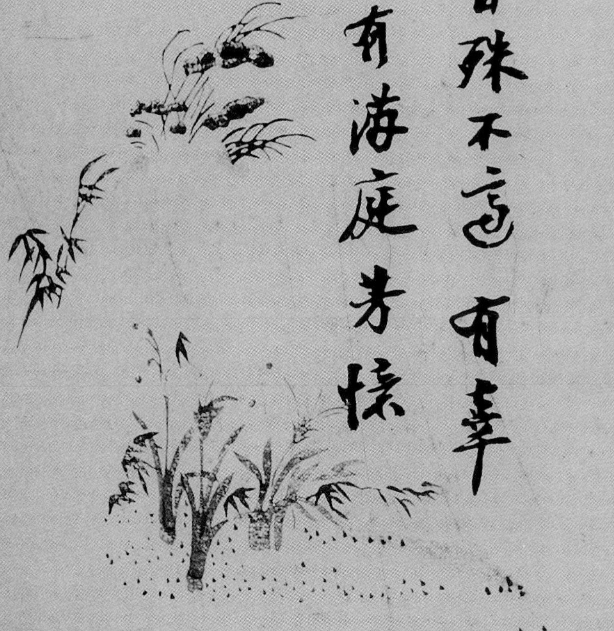

玉蝴蝶　北海春莫遇歸者茶話移時而別

綠盡故宮芳樹，猩紅猶在，未是春殘。姊妹花嬌，羅袖並倚闌干。斜陽隱、茶杯紅影，春恨寫、團扇冰紈。到而今，小顰舒柳，芳氣吹蘭。　清言花陰促坐，契丹遺事，話到金元。最憶妝樓，暖風遲日洗頭天。羅裙色、全迷御苑，蒲鞋樣、懶上吳船。促歸鞭。出門一笑，不盡纏綿。

味雲親家
閣公老姪
桐湖社兄

同發一笑，亦見老人與汝不淺也。祥

滿庭芳

咏雪樵丈京邑看花先賦此詞即次元韵以堅丈約

早過春分猗遲寒食匀擲一半韶光新修帝綠新柳已鶯黃屈指瓊京花了弓角少春草閒房西山畔梨紅杏白鳥囀落僧廊北平多屏強令猗未至地老天荒懷海棠極樂

閒房西山畔梨紅杏白鳥聲落僧廊　北平
多年殆合猜未至地老天荒憶海棠極樂
寺葉漁陽黑蝶詞人到此間攜取蠻布琴
囊磐芬飲金甕玉膾亭子署鱸魚　吳中有鱸魚亭
味雲仁兄詞家正拍
八十四翁增祥

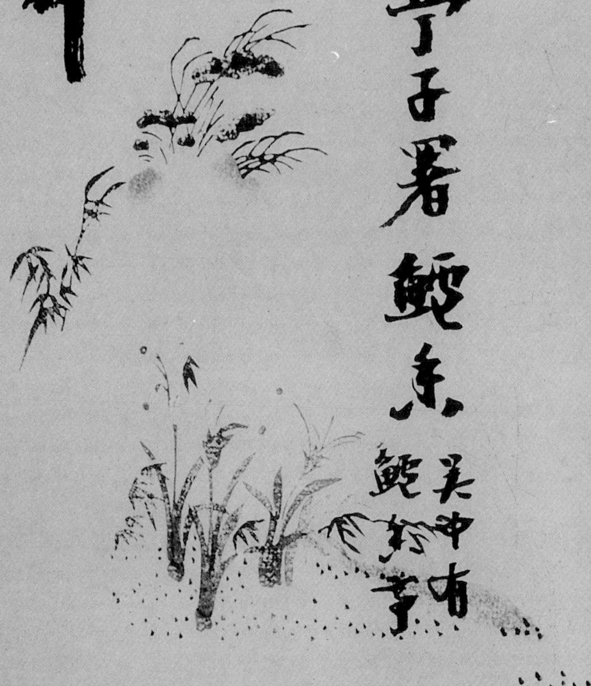

次味雲留别均

来時銀鼠去春衣羅敷杏花村店扉酒畔謫仙
憐太白詩中劍俠即莊飛淺娥紅為琴裘盤
眼日蒼苔履齒稀尚乃花中王与相垂來梅
子為誰肥

味雲詩家哂正

此詩作於三月八日至四月四日甫能寫竟　增祥

龍山會　味雲以重九詞見寄即用趙以夫均奉答

紫點重陽雨高不勝寒瓊玉喬樓宇雁行疏可數鳳城柳不似那時金縷七十二沽遙煙斜陽雲垂平楚謝雙魚尺素齎來暮蛩吟苦　相期更展題糕白塔紅亭諸老如星聚甚高寄作賦東籬覓舊菊休稱新土笑視富延年舉卮酒風清月下便令野趣開蔣徑掃花延竚

味雲仁兄正拍　九月幾望　八十四翁社愚弟祥拱識

冬月廿二日味雲社兄招集市肆
風調君先必尚書露薹要皆渴相如
圖畫雅集詩畫派飯是家常肉間
菜醃月流澌丁字形舊京風味新
家魚今年爆竹庨風貴一月欣逢
白髮翁

蘇腌月流澌丁字沽舊京風味新
家魚今年爆竹廉風貴一月欣逢
兩歲除

味雲仁兄正

弟祥還京後補作

樊增祥

味雲至京與閣丈同車過訪

是夕閣丈招同治書彤士及

印伯味雲昆季出城小集甚樂

析木津驛三百里還京胸思抵

駼魯茵馮同過三〻徑梅辯能

清九〻空仲雪伯霜皆古誼子魚
女酒是常餐　髯翁老子童心
在更把循王影戲看
味雲社仁兄
閬公社長詩
同正同和
祥

偕

味雲至津沽寓乇宅賦呈一首

白社論文得賞音高齋下（掃）榻似山林心於宦

味從來淡交與詩情一往深烈士暮年千里

志陵雲賦值幾何金壺閑點有今（平）稱茂誰抱

西岐養老心

味雲仁兄同社印可　增祥

今日得手書及詩詞並長歌快慰之至敦老來尚未
見昨日書訪之必留已展重陽也
芳詞濃郁清倩勉和一首聊以
發笑餘面談此上
晦若社兄 祥頓首 十四漏三下

味雲社兄不遠三百里貽余
京邸賦詩誌感
不辭三百里遥征猶幸西
河未失明緣業業緣皆佛
理樂哀哀樂豈人情久矣
世事浮雲淡遠得音書
舊為驚蓮社竹林人盡
散蘇花經裏覓長生
味雲仁兄郢正弟祥艸

瑣窗寒　味雲中秋至京以相國爲集新詞見示因同此調

柳北蟬疏蓮東鷺濕小荷珠定其階雷雨喚起茂陵秋

病（來詞得小鸞新念）寫新詞蓮漪梅雅浪箋鹽滴芙蓉粉想潤

通吳襟涼生蘄簟玉臂香燒　瑤閣銷凝無毒

過衡廬一甌玉茗潑池喚醒也膝丁沽蘭舫正瓊樓

高處夜寒東坡度曲浮玉（讀如過）頂更（高）吟桂子天香勝奪

東方錡

味雲老兄正拍　八十四翁增祥

金縷曲　爲寒雲書畫成寫其小象六橋其議即用寒雲原韻

限粲洽韻悲眉徵余同作　味雲老兄正拍

年少東坐早睹名周秦樂府金張門第不入玉堂當

宿衛

帝用印公有意算彈指詞人已老閑共梯花月東和秋

幽谿互瀟山陰淚清且冽幷中水　生綃休畫劉豎醉

銀玉頭高才早達康樂吳天忘陽羨再逢雙鳳硯都護

黃梅是也　寒雲雙鳳硯爲六橋所得　柳蕃戶侯封不悔雖火浴醋翔多好

下坡仙笠屐高齋裏娘子豆乃堪記　增祥

黄落山川未足悲百昌榮悴各因時直成蕭艾芳猶變
不試風霜勁豈知天振斜陽看轉迴地隣古塞怨先衰
八公已在商聲裏那更蘆笳日夜吹
一從涼吹轉蓬斜拾翠無由近御河別後園林深積葦舊
時池蘂冷殘荷掘根險為饑鴻盡剉薦能禁戰馬過頭
白王孫歸得未亂哭如雨繞銅駝
遲暮偏為天所憐忘憂恐辱絕依緣隕霜不殺庸非
幸華道難行敢徑前生意未隨枯樹盡幽姿還襯晚花

妍風沙猶望朱顏澤輸与籬東老少年

修修紫蘀望秋零莫怪花花褪故青正借綴莢新年歷

漫因蔓蔽怨騷經無情不分來飛蝶同腐終羞說化螢

未報春暉心豈死寒叢有日吐芳馨

奉和秋草四首寫呈

味雲仁兄教正

寶琛未定稿

滿園林樾氣蕭寒徐捧冰輪上碧霄把
酒高歌忘客次滅燈默坐儼僧寮相看
薄袂行多露長憶輕舟海始潮 家居時常泛月
又過秋分歸未得忍寒虛此可憐宵

戊辰中秋
味雲社兄招集瑩園賞月分韻得宵
字率成似
正
寶琛呈稿

味雲仁兄大人閣下日間奉
示知
偕 樊老來津午後莅寓適不相遇明日屬有家祭未克應
召寄聲 閽者想已代達 至用悵歉 樊翁能住數日稍遲再
當造談 閣下又小極想近日須將小痊
公有歸期且未之聞手泐敬請
吟安
弟寶琛頓首 廿九
樊山翁并候

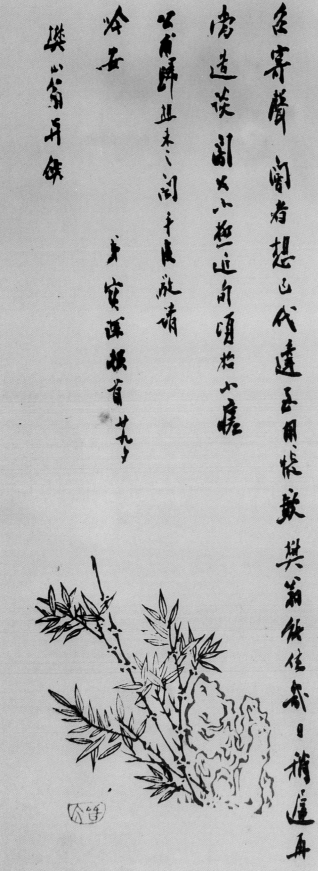

伻來承
惠秋花江白魚新會蜜橙領餟感謝 弟入都兼旬日在病中
少閒所來瞻和田津縢月數日晴始平復而未出戶聞正向暖再當趨談
樊山僅於和約一晤詢知其下床傷之所未能往視近聞已漸健復矣手此
復請
味雲仁兄大人歲安
弟寶琛頓首

東來望氣降詩豪兄事吾猶愧鬢毛圖畫
送看成主客海天暫喜息風濤盛秋又博
今年健異俗誰能大義逃却被西山笑愆約
一樓長市說登高

九月五日
味雲嘯蓀二君招陪
樊山詩老讌集中原酒樓限高韻賦呈
同坐均正　寶琛呈稿

五度過重九海曲風光斷送成衰朽登高無培塿小樓
外危欄蕭疏楊柳不日奈層陰及未雨來中君酒但年時
名園積莽欲遊非舊愁看陣陣衰鴻流轉闗山朔氣
衣誰授艱難開笑口風鶴裏差莫黃花無負廿年事迫
偷生念有弟先廬猶守對黃囊插茱北望爲兄搔首

龍山會九日集飲雲在山房呈

味雲詞長郢斧

教之

寶琛初稿

杜少陵清秋感興獨抱旅裒引企

風華實深露祝弟江鄉寐家屛除世憲檢

夢華之瑣錄往事都非聯汝社之朋徽

清徽遙接專復敬請

台安

陳夔龍頓首 九月初三日

上海朵雲軒製箋

癸酉七月

味雲仁兄遠寄秋草集並索余詩珠
玉在前有媿續貂矣晚坐綠蔭忽
成四憶竊附風雅免羞雷同即乞
正句

洛陽宮殿鎖烟霞一色離離輦路斜淺
碧光涵梁苑月微黄影聚汴隄沙人
來淇澳惟看竹春滿河陽尚憶花三

載行巡秋已老蒹葭田溯渺天涯
江南草木撼商聲容易新愁舊恨并秋
早人宜居苑茂春歸客已别蕪城誰從
腐艸憐螢火自向深叢聽蟈鳴猶憶蕉蕉
亭開桂醼（在蘇州拙罘）裙腰一道綠盈盈
刻餘鸂鶒尚名洲芳草萋萋碧意稠繞
閣四圍猶擁樹平蕪一覽更登樓如茵
憶吐繞銷夏（義山詩芳艸如茵憶吐时）非種雄鋤易處秋

陳夔龍

辛亥八月
武漢革命

持較漢南前種柳江潭搖落不
勝愁
鵲橋北望燒痕新亂後秋光病後身客
裏班荊惟感舊夢中生草已非春榆關
霜冷凋黃葉易水風蕭起白蘋又送王
孫成遠別腸輪日逐屬車塵

庸叟陳夔龍甫稿

一山左丞以詩見懷依韻寄答

許我刮雙目讓君出一頭新詩寄到否（昨寄一詩）舊地重来不沽口前朝鎮（君現居天津為余舊治）潯陽客舍秋今年作重九江艦最高楼（重九日余在九江舟中）水西莊上月照白幾人頭紫蟹登盤末黄花插帽不迴腸千里夢過眼卅年秋山色湖光裏何時共一楼

庸庵呈稿

陳夔龍

昨和二詩意有未盡再呈二首

檢討朱長水仍須作狀頭才高同榜
少書著等身不玉棟金鰲夢銀魚紫
攤秋書生談將略鎮海有高樓　儒
北門慚作鎮爛額復焦頭邪僻淫吾
懼遷流羨子不挽戈珊落日指眼望
延秋往事憑誰說期　君共倚樓

一山仁仲正句　庸叟再稿

莫忌人日約花朝九十韶光已半銷吟社何妨期酒肆
詞流最喜共春宵揮毫易動承平感縱飲猶堪
塊壘澆攬轡澄清定誰屬相看霜鬢未全彫

花朝飲東興樓賦奉坐上諸公即乞
味雲先生詩家哂政　孝胥

鄭孝胥

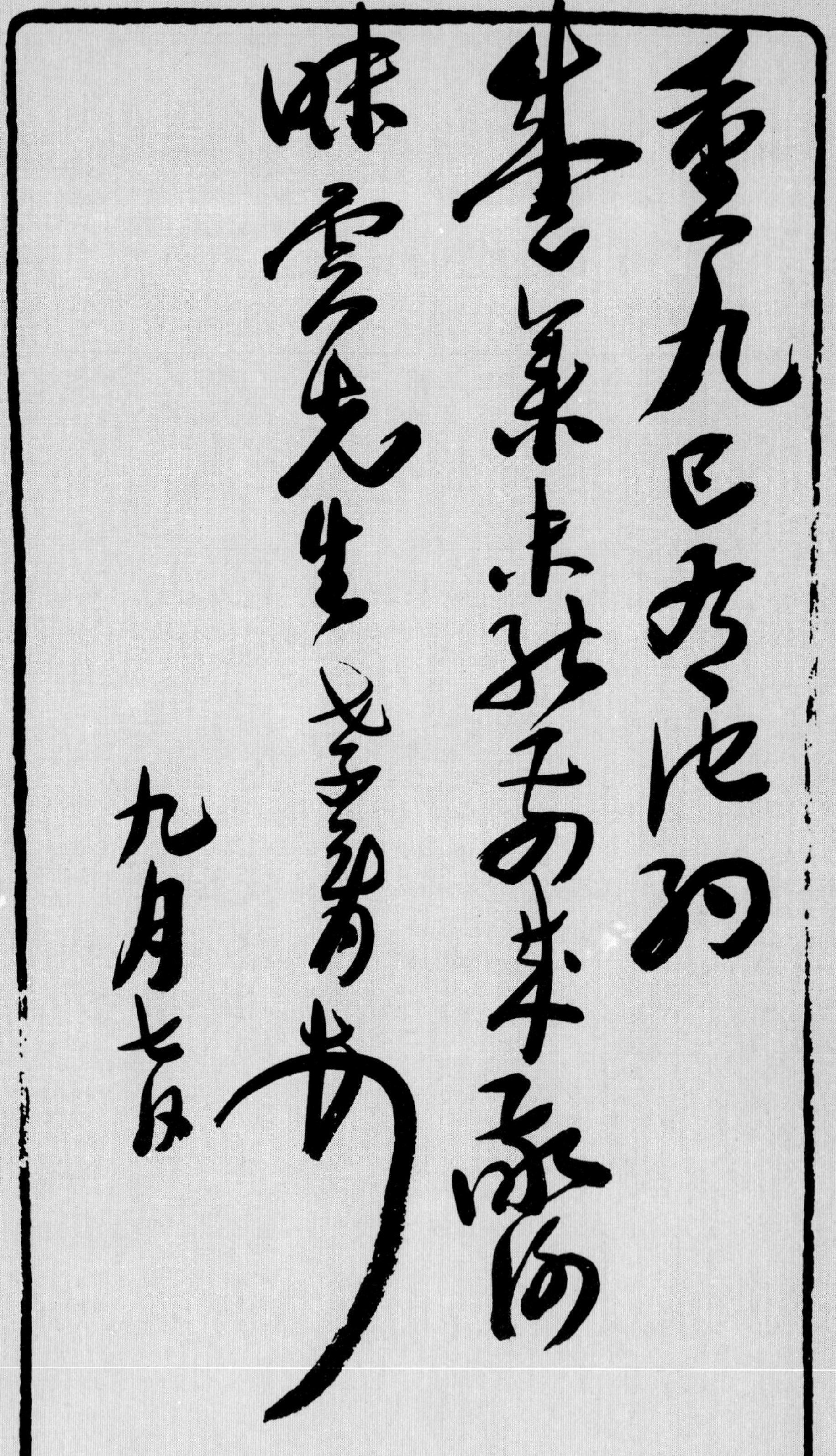
重九已及池約
集氣未就無可奉承詢
味雲先生足下孝胥啟
九月七日

歲暮偶成

西北風高冷不支敝裘唯覺擁鑪宜衰
蹭年華難求友漸減聰明少作詩余
禪儔多同異處居花常有嬌揉時色
香總愛天然將第一閒身姚女兒

樊山

偕槐廬

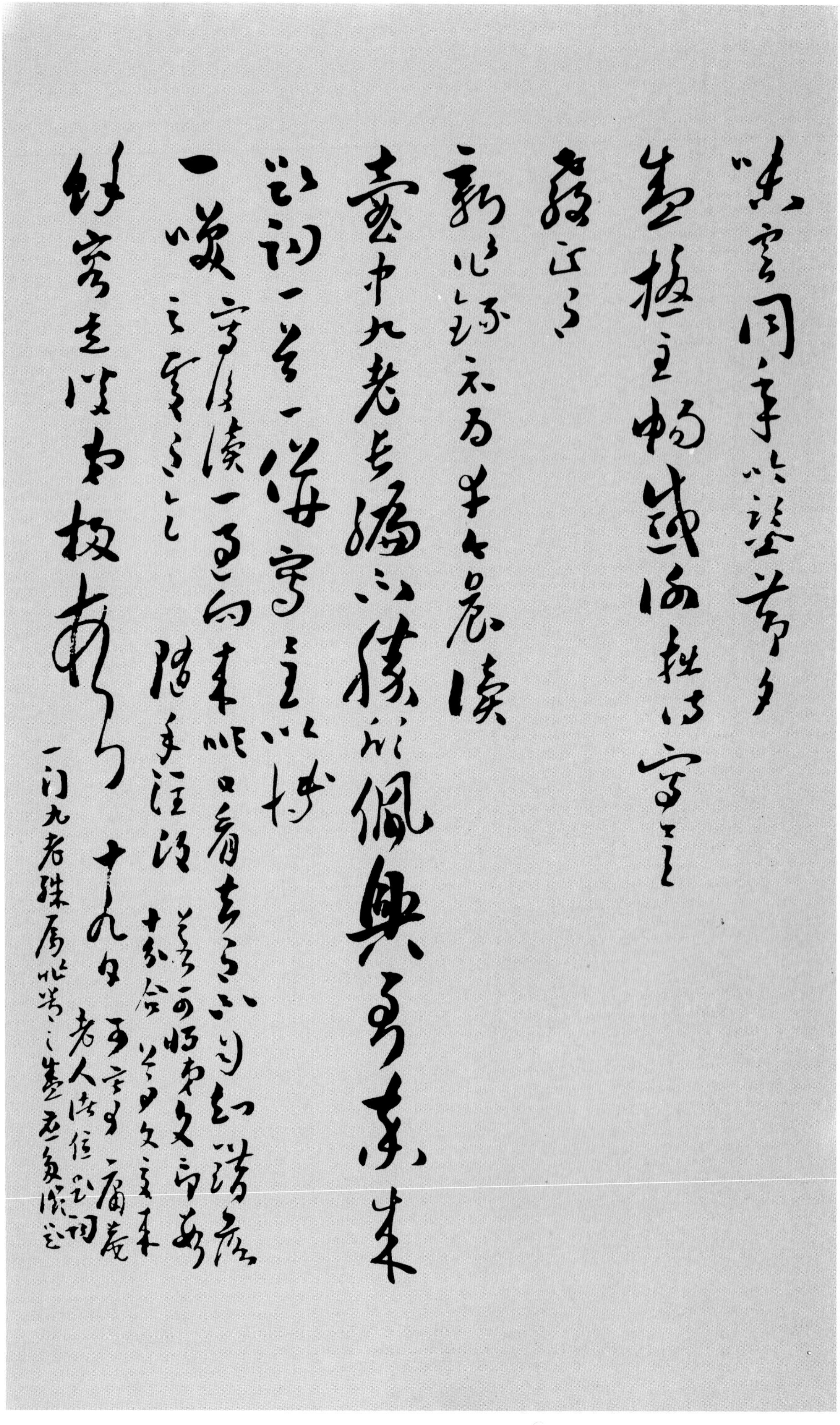

章梫

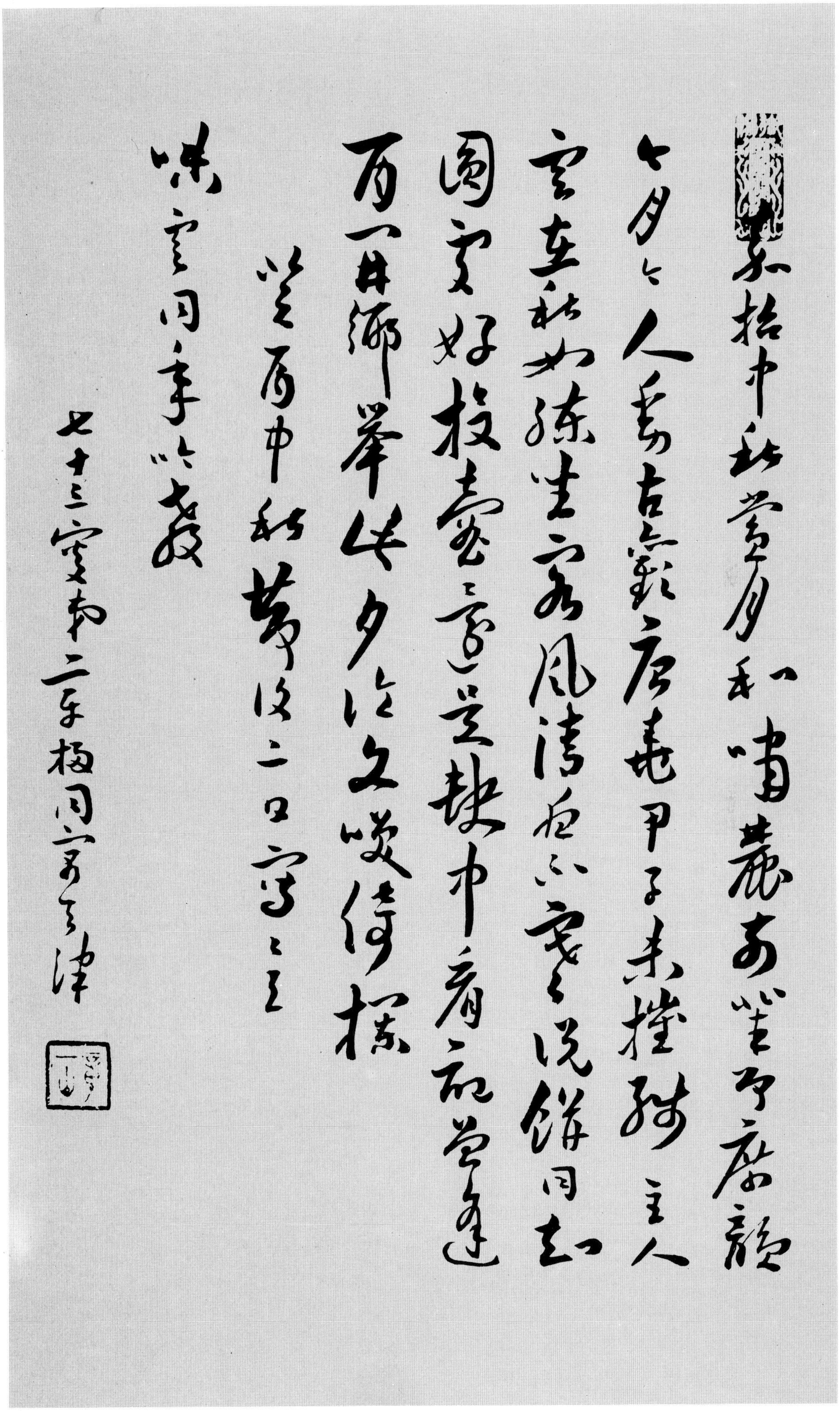

昨奉
詒翰並詩稿即送君坦閱後寄還拙作涂就呈
正祇請
味雲先生同年吟安
年小弟 式通拜啟 三日

己巳九月十九日北海展重陽次天琴老人韻賦呈同坐
平生語妙愛歐九醉翁之意不在酒東坡最羨快活人不知黃封
知紅友先生舉此示坐中及時命嘯無異同遵素綠衣自年少八
公頃刻能還童爛入翠微看紅葉眼前嘉樹朱霞烘天廚僅以

賣餅重膳夫技亦猶屠龍展上巳曾禊事修小重陽後又從游
登高想象通天屋柳表才如移枳橘雲物依然供一娛會心勝
有延年菊題餻古豔寶階名接席今非匏壺腹九人未盈六百
歲合與錢齡猶不足瓊島高寒衆景歸酒闌共泛瑤華池地似
蓬萊延壽容天留圖畫催新詩銷沈故事仙門靄宮花化作庶人
菜瓜皮船向漪瀾停葫蘆書出蟠青賣吾友遙知絕巘尋謂藏園居
士富士躋顛當華陰屈指東行月將半佳日消磨訪宋槧讓與
我輩上層樓稼軒筋力健何愁極目關山老能賦晚香襟袖長
經秋賓主清言久歛午東道兩邦別吳楚還家夜夢金鳳園
陽氣來朝見眉宇
味雲先生同年教正
式通

題襟館雙硯歌 戊辰新正二日栩廔春集約各出古物共賞彊村携黃忠端斷碑硯往主人示家綠端蟬腹硯則信國文房也均有曾賓谷題刻出於一手主人詫為巧合以詩紀之因亦繼作

吉水漳浦皆孤忠各有石友資磨礲題襟館裏騰夔龍不知何年一西更一東賤子昔事陶樓翁榕壇學案聞緒終 先師貴筑黃子壽方伯表章石齋學行於明誠堂手札疏證一奏言之尤詳 大滌遺珍歸吳家偶然抱此甘冬烘藝雲癖石筆四同淬妃百輩羅青紅就中蟬腹肖象工皐羽刀筆光熊熊一朝會合春筵中過眼敢等雲煙空製題示客賤走僮直欲譜錄追帝鴻吾閩文山聲妓遣時

札跡從一奏言之尤詳大滌遺珍歸吳家傫然抱此甘冬烘塾
雲癖石華四同淬妃百輩羅青紅就中蟬腹肖象工皋
羽刀筆先態之一朝會合春篋中過眼敢等雲煙空鬱
題示客牋老僮直欲譜錄追帝鴻吾閩文山聲妓遭時
窮又聞石齋語不橫波通兩臂性行殊徵宮要其錚錚
大節各自森華嵩吁嗟乎文黃標英風朱袁亦矢雄竹
坨題黃硯背隨園題文硯匣砍從未由心怦怦姑搨殘字乞詩
師坡之書來乞詩斷碑中蘇書殘文也 次行虹字誤作龍
栩慶詩成作者雲題
味雲同年長古意境雅逈竹坨姑錄拙藁奉 正時際
春韶正可貼以如意也元宵節 長洲章鈺再記 鈺

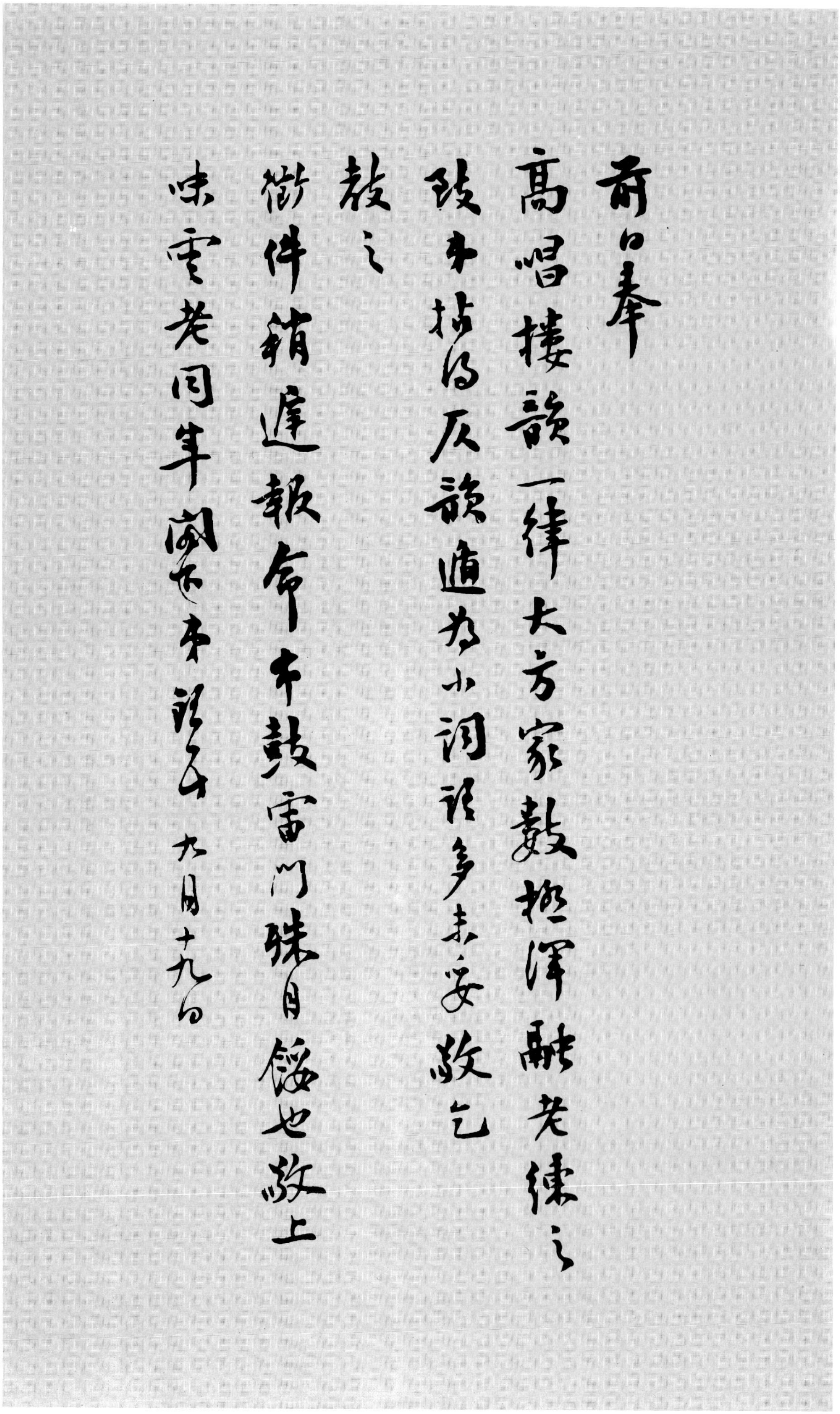
前日奉
高唱樓韻一律大方家數拗渾融老練之
跂中拈得仄韻適為小詞韻多未妥敬乞
誨之
徵件稍遲報命布鼓雷門殊自愧也敬上
味雲老同年閣下 弟鈺 九月十九日

章鈺

舊山溪　辛未重九即事分近字韻

東風無賴壓倒西風緊此地屬誰家偏突兀飛樓架屋異鄉異客隨例約登高饒字窘酒悲奮況是潛淵近　故園叢菊料已荒蕪盡路指小蘇州試問汎南湖花隱平林淺渚免得費攀躋占蟹汛聽鴻陣算有吟秋分

味雲老同年正之　霜根上藁

味雲親家大吟壇　一粲

乙亥九月二十五日味雲約同仲華冰士劍秋蘋泊春明樓酒後遊陶然亭遇敬原老人偕伯夔君任君木立節同來分韻得老字

不上江亭二十秋城南名蹟多荒草天留我輩話滄桑回首風雲如電掃傾心宇內我詩人眼邊客裏惟獨好年年風雨括重陽今

歲天清寒不干青山萬古總無情憑高一
嘗擬悵惋九原可作誰與歸燭鴉無視空
懊惱衰柳蕭蕭帶野水天涯恨別陽關道
留連古寺日已斜門外車聲塵浩浩人言益琰可
乞雲世間萬事憑蒼昊駐顏不留乘與鏡暮腰但
壺梁與衆爾來交舊如晨星勸君莫惜金一尊倒
於此清遊更幾回人生難得閒中老

止庵草

味雲社長吾兄賜鑒頃奉
手復拆悉壹是承
示雲在山房叢稿目錄命為弁言如雄
譾陋何敢班門弄斧致貽佛頭着糞
之譏惟既辱
謬譽自當貢醜容稍遲數日擬就
郵呈

詩史閣

孫雄

鄙制
尊著章南安墓志銘雅潔千寶傳作也
嶽雅題硯兩詩暨嚴堯欽駢體文序
盥徽三復尤洋佩服近世駢儷一體最成
絕響有世俗所喜均秀野祇禪一派即樊
山所作才氣雖盛體格亦卑自鄶以還
更無足論朋好中惟吾
兄與書衡兩家洵秀夫惟大雅卓爾不群

詩史閣

平日持此論久矣他日
思沖齋駢文出版定當不脛而走閻公序文
并乞錄示以快先覩閻公博雅過人駢文亦
有微近文蔓之嫌茲事固非易易也郭匏
廣宗伯之快壻曰黃君坦甫甫逾弱冠出
華集雅馴事謹嚴他日精進未可量也
弟三十以前好為駢文曾刊師鄭堂駢文之
卷由李越縵師選定 光緒二十一年乙未刊於京門 乙未以後

詩史閣

三十餘年中雖時有酬應之作而鮮於修飾潤色均未存稿工本年彙印詩史閣叢刊而有禹齋駢文一卷僅存五篇五篇之中以劉健之蜀石經齋記及郭筠庵前輩詩集後序兩篇似尚可存廿餘年來頗擬致力於散文不主宗派之說惟以有物有序四字為根本實因生逢叔季世運阽危思以文字之力挽救綱維鍼砭靡俗冀奮中流砥柱之力無

詩史閣

取美者冠冕之勞　嘗與之論聯文之失以人有意求者爾也今以玉冠之雖美失其面矣
尊作雖一編之語並亦存其理　遊於駢儷之文絕不輕作蓋恐
炳燭之日力衰手腕既生遂有眼高手低之誚
益復不敢下筆矣
尊集弁言當於兩日內為一散文惟自媿才力
薄弱無以副雅屬耳謹此奉復聊當握
譚笑如覯縷縷毋即
台安　弟孫雄叩
七月廿六

詩史閣

秋草

蒼泉

霜風吹到寸心枯一碧如烟潑眼無漢苑但
同栽苜蓿吳宮搖落采蘼蕪茂陵冷落
悵惺鼓廢院亂零蛺蝶圖昔日繁華多閱盡
青袍顏色亦模糊

關榆驛柳冬雲霜風卷平沙入塞黃櫬孫撤
圍騎雉兔穹廬罷野散牛羊搖同馬草徵
邊儴可惜營花近我坊暮日南郊金彩色
陸渾一火便蒼涼

菜色淮南十萬家春〻巷陌長銀沙玉鈎
積雨銷烟翠銅輦經流鏽土花淺沒指芑
淮聚後波沈僵柳岀棲鴉西風搖落荒城
路空憶秦郎去鈿車

楊壽枬

悔從南浦種孤根蒼徑蕭蕭自掩門青鬢
未消名士殘紅心已化美人魂寒螿帶月衰
都因瘦蝶栖遲夢不溫依舊畫橋西畔跡
冷烟蛛雨寫秋痕

采芑遠韻

金縷曲　苓泉

樊山丈由燕京來津偕閔公寒雲相約飲於
酒樓即席賦呈樊丈並惠孩子同作

柳外東風峭近清明梨花殘盡采芑前到重認旗亭
青帘影袖角京塵未掃看海上紅桑已老作世亂零
宮羽換胭脂玉琴彈出清商調渾不似舊懷抱寥寥
故國空文藻勝當年羅溪畫卷名樓詞稿壁月
銅街行樂地換了冷烟殘照更愁絕江花江草無限
蘭成蕭瑟盡奔風塵頭白公方少翔夢遶樊山曉

我生性僻耽山水五嶽未游身老矣東望醫閭白日
荒西瞻太華黃埃起黃塵甚好時光閒卻登高
莫辜負黃花勸客且攜壺共醉插頭萸萸流美霜螯
瘦小不堪材笑爾橫行竟何材活甜更上石人樓海氣
冥冥煙霧裏閒塞秋濤勝鷄驕江湖水闊魚龍喜
要將詩骨鬥清寒四野霜風來杖底寒篋魚槻千
花收匹眼緊兵楷紅紫突突快要何遥奇別訪石

園擅珍英炯姿露態各呈妍海宇偏勝譜花史可
惜羅家別業叢寒垂十畝誰鉏理（羅園菊花昔盛今主人臥病花事闌珊矣）園林
隔指亦滄桑人事榮枯奔九此天不見去年饑鳥且秋
容今感羽化傷生已（去年北游之廣東陽到 無九人今閣下已逝）悲懷陸陸自
寬坐看炯雲成海市
庚午九日社友集於市樓餞後偕登中原第七層露
臺復過東亞菊園分得此字錄呈
蓉泉
壽民

秋艸和咏雲韻

莫從輦路問金根南內西宮盡掩門螢火已無隋苑迹杜鵑空拜蜀都魂玉階長佇霜偏早寶玦王孫夢不溫試向五陵原上坐視腰何處是春痕

月照平鋪大野霜風吹低趁陣雲黃三邊地已疲調馬五夜車猶誤引羊元菟積骸餘宿莽（義山詩可惜前朝玄菟郡積骸成莽陣雲深）黃龍淸酒憩沙場胡天一雪離離盡誰念關河有早涼

休隨蒼楚[illegible]歎無家杜老江都有白沙朱雀橋

一雪紛紛盡誰念閭河有早涼
休隨蒹葭歎無家杜老江郊有白沙朱雀鷂
邊舊時鴈青蓋圍裏後蓮花羽書列陣千
行鴈社鼓神祠一片鴉又拄疾風滾動力蒲
輪多為駐安車
巷陌心去恐終枯笛符青花色欲與粗糠百
年惟淡泊蓬蒿三徑總荒蕪閒逕生意高
颮館野燒平原射獵圖欲覓西園舊行止飛
來黃蝶不模糊

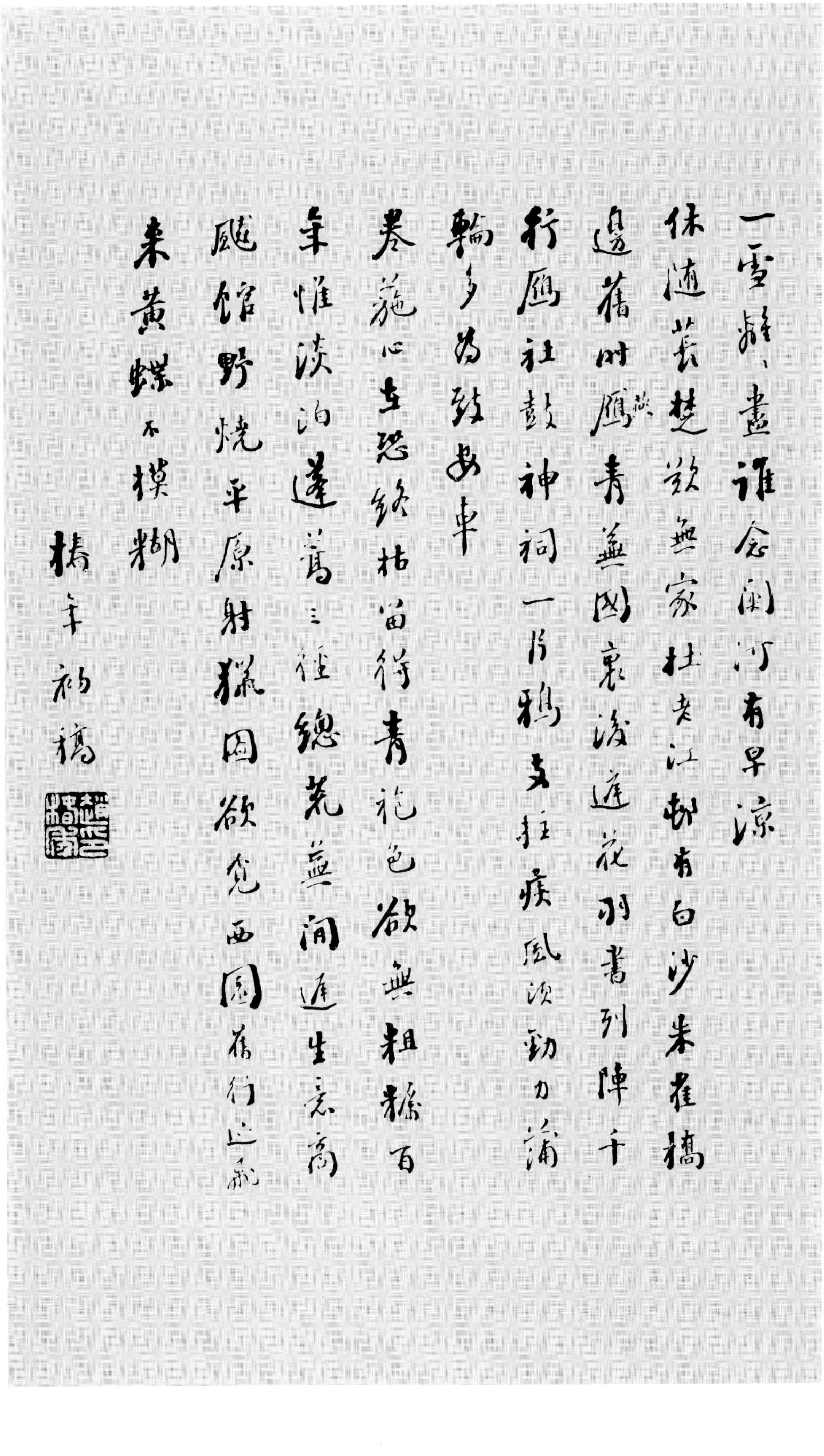

椿年初稿

臺九偕仲虎味雲彤士蒙青寅梅
心禽非明君坦游金山寶藏寺
類歲逢重九登臨限苑墙出郭初從日入寺已迴
腸瓶拂皆君賜（寺為内監所脩）茶瓜任客嘗（瓜作淺黄色罕見）題
縫吾自愧何敢坐對郎（是日人人皆有詩惟予與非明後占）
扶杖來山半攀林到上方置身金地淨灌頂玉泉
源（灌頂玉華泉為寺中八景之一）共攬諸天勝全憑百尺廊迷當
乘雪月遙夜集靈堂
龍家開丹地盤羅近翠微玉今蒼雪路（原名蒼雪菴）猶

乾隆御覽 明仁殿紙

乘雪月遥夜集靈坐

龍家開丹地，繼羅近翠微。西今蒼雪路（原名蒼雪菴）猶見五雲飛。阿監排房老，祠官衣以緇。非道人寒碧，院雀骨不能肥（舊本禪林今為道院，結用東坡詩意）

丁酉龔徐後（定菴詩：秋光媚客似春光，重九尊前艸樹香。可記前年寶藏寺，西山算雨憩吳郎。自注云：丁酉重九與徐星伯前輩、吳虹生同年連騎游西山之寶藏寺，歸鞍驟雨。在己亥雜詩中）來游客未詳。正難逢我輩，復此對秋光。以擬揮毫素，還愁䵝粉牆。歸途風日好，不盡退詩囊（污染黃素䵝粉牆，山谷句）

游後一日坡鄰艸于漢魏五碑之館

中秋々月泛舟北海和味雲韻並呈蘧廬北彤士

仲騫子戚蔚如

牛渚夜々月照水犀可然木犀胡聞香欲學忘

家禪舊都富秋色風日多清鮮今朝況泰節

莅常期延緣良會車以中急赴前不船詎知

繁倏忽隱到瓊島邊長林餘暖、蓮葉空

田、廣寒舊宮殿々人闕好猶岩真如韓詩

山舒實其圓翳雲不受撥結綺難為妍述

趙椿年

趙椿年

出舒霞其圓翳雲不受撥結綺叢為妍迷離渺金波蕩漾還交連周遭太液池一棹相洄沿樓火絳霄岸榆柳垂夕煙堆流幾朱門閭户來成眠濛似江南夜略使鄉思指瓜洲兩三星插映金鳌山顛回視瀛瀾堂此景同其仙瓊樓空無際水調歌不還明月幾時有亦欲向青天來年値茲夕定使歡能全

味雲四弟吟正

坡鄰湯稿

尊論史胡二集深得要領而甚喜史文而極不滿
胡作胡文所用典故皆一面鋪有如廣事類賦遠
不如宋人李劉自注四六之佳也日來細校野獲編
大小兩本字句時有異同似各據一原本大抵
有數段脫落處小本較完善此書不獨有傳
一代之與唐匹即唐宋野史亦無如此巨帙其

白雪老

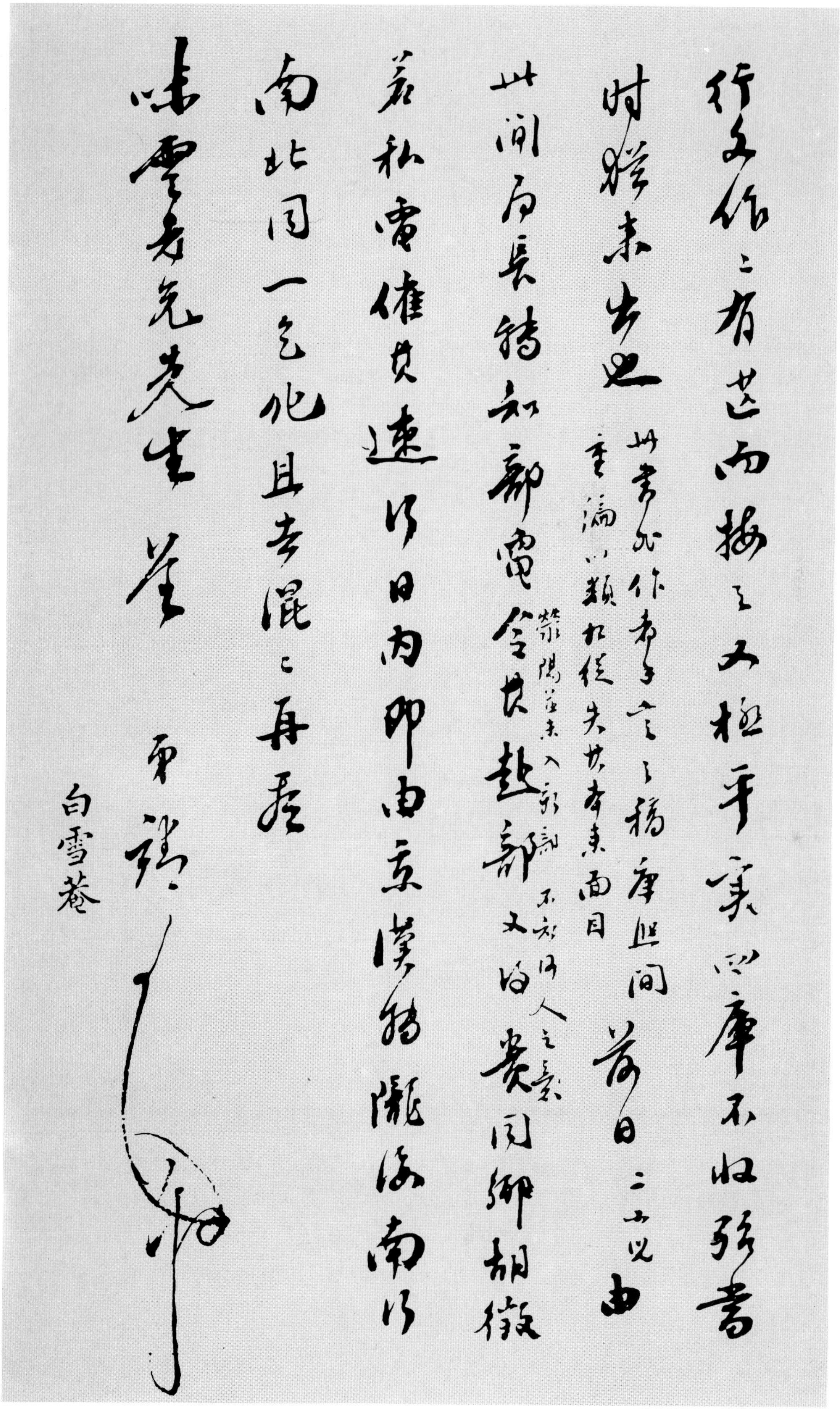

行文作作有芒而按之又極平實四庫不收孫書
時務未出也（此書凡作者[illegible]之[illegible]稿[illegible]間重編以類相從失其本來面目）前日（二十以）由
此間局長錢知郭電令其赴鄣[illegible]（滎陽崔未入[illegible]不知何人之袁）文治袁同鄉胡徵
君私事催其速於日內即由京漢轉隴海南行
南北同一色化且老混混再看
味雪老先生左
再拜 [illegible]
白雪菴

天津酒樓雅集呈 弢庵太傅 樊山師及

坐中諸公

茶樓百尺丹霄近 杖屨欣忘一日勞 地匯百川歸

海若 天開二室見嵩高 太傅年八十有三 樊師年八十有五 有人曾識

龍山筵 即事何如栗里陶 靖節詩即事如已高 何必升華嵩 七十二

清秋正好鞠華楓葉滿平皋

味雲仁兄同年正疵 壽田呈草

九月劉逢廿二辰題名九
二社中人偶成詩句同
欣賞莫問尊前孰主
賓多難細思惟痛飲
羣賢且喜得相親借
君杯酒為君壽看取
黃花歲〻新
味雲先生招飲約入九二社拈
句呈
正　劉春霖借箋貢稿

松已成鱗竹有斑幽居寂歷似深
山前身明月忘真幻過眼浮雲任
往還室滿陽光冬亦暖門無雜客
晝常幽故鄉風雨休回首安樂為
窩老是向

元韻奉和

味雲社長新齋落成祈

正

小弟劉春霖呈稿

風日融怡萬彙新熙然一室署長春饑年漸識田園樂大地誰銷戰伐塵迸似鴻冥何所慕身安蠖屈豈求伸行窮早辨西峰麓待作堯衢擊壤民

元日書懷敬奉

味雲同年吟定　增湘初稿

秋草倡和集序

素節戒旦景陽感於霜飛秋風生哀鳧氏占於花落其士能怨爲音則商於時百卉黃隕深叢薈蔚流螢夕熠羣鴉暮盤念王孫兮未歸告荃蘭而不察高樓從倚平原寂寥斜陽不溫孤煙自直我時捨事即攬抒懷此風詩三百寄慨於黍離古詠十九發端於河上者歟重以江湖浩蕩烽烟震驚民歎其魚鄰有哭家陸渾山赤挾海水

以俱翻震澤波黃播禹原而為疑國憂危於
居火人命弱於桎塵生也不辰乃丁斯會小雅
怨悱之作室均憂憤之音託微波以通詞哀高
邱之無女原為小草遠志何言迫此窮秋興懷
成詠苓泉居士倡為四篇繳錄和章襃然一集
霜鴻應候寒螿吞晚泠泠石上之韻淒淒竹籬下之
吟雖復宋玉託諷微詞實多杜牧憂時罪言不
少要其旨歸衷於忠愛古之君子莫有度也嗟乎

天低白日愁聞勅勒之歌地長紅心或是萇宏之血蕪城狐嘯明遠之賦何哀蘇臺麋游越絶之書可念留為本事傳之後來芬泉將梓其詩余為之序云

江寧夏仁虎蔚如父作枝巢

晦老著席奉　惠書承悉
起居佳勝為慰辱承　示及和秋聲四章內有
誤用平仄字極感
指教附錄改句已代將原稿塗乙是之章詠物之作或
主寄託或主實寫兩者難偏廢美人香草寄詞皆
託諷也歷代作者大率十八九有寄本事唐宋明詩紀
事宸垂歷聖叢皆屬太鴻輩之附會哉若本詩宗則

夏仁虎

淵明最重宗賓其述酒一篇至韓子蒼而指發其
隱知淵明一集中亦寓言八九耳亦猶之詞不能有賦而
無比興惟當以蘊藉出之勿令挑氣本意斯為佳矣
館閣山林自成兩派有清一代自雍乾文字之獄波及文人
師友務相誥誡於士之禁作尤慎號為詩人者大率不
在朝而在野此其故可思也即其此題美將題面兩字
勒撏去節即手肯不難得意之作一首已足矣

以金壇紐而和者絡繹 殊名長安貴且屬吾輩此語
與耳 得作敘之以博 一粲耳 自秀水題跋六丈
家作此種詩 同時學者不過如此 最擅所長 噪之不已 後所
厭可意 爾儕 公衛所作均淺 淺陋 儀衛後作 指導 楚詞 然
請之亦自可誦也 討壇 領袖 詩不自立崖岸 乃足以倡率
流 自隨園上溯其例 先此家為閩派 而姚 晚晴 時 樊嶽 閩 付 李
是非於何之 復上 即頌　頌作住錢 印內 賓客 鶴亭 黃節
安吉　弟仁虎拜啟　同住忠實里 門牌不記

夏仁虎

癸酉上巳莫愁湖修禊分得中字

柳絲織翠搖春風枯芽新茁交蘆叢出西州门不數步波光一碧綠瑩瀛林際危樓歘然見晴曦徽絢雕欄紅花壓藻圃相錯雜軒楹曲折誰解窮捨級登樓一望眺六朝山色收雙瞳春波吹綠春人影莫盤根于湖昔中山園主人愛風雅命倚歌侶投詩筒春郊十里生意動車輪交錯馳青驄月泉吟侶半舊識歲年不見皆成翁分曹酬飲興飈發罰觥偏與蘭亭同夢得蹤跡誰採取香山鑄亦難為功秦系偏師亦動敵長城壁壘來相攻我詩扶以幽並氣夢魂還渡遼河東仲宣登樓賦吉士忽然江海收孤蓬癸丑以還歲禊集故都陳迹如飄蓬二十六年前列此此湖偕舊澄晴空大功坊裏悲華屋銅駝荊棘閒故宮要与美人今日席前樓千古屬英雄

蒼泉吟長 教正

子威

味雲詞長兄著席奉
教多謝
佳篇憂時感事深得賦興之遺盥誦
再三佩仰曷極此間一日午後日艦發砲
尋釁我方幸未還擊得免劇戰近
來戰事移向滬濱京中防衛甚周情
形已覺和緩眷口遷地距部稍遠以
防萬一遠

鐵道部用箋

勞存佳併以年
閣中樞遷洛路務孔殷受命危難權
主其事屢案牘披紛近鮮暇晷
尊命未遑奉答 家兄現尚留京仲雲
已赴洛陽鶴亭華卿亦旬日未見稍緩
當為分頭致意有以報先生此布復敬頌
吟祺 弟關賡麟拜啓 二、九

鐵道部用箋

冒廣生

尊紀交來叢刻五冊並前
惠寄雲郎小史一百冊均收到頃京中藏家
有字畫託人出售弟已留數事皆關係掌故
其尚有一圖卷全是雍正間
貴鄉人題詠另紙開錄
兄如欲得之宗將入京一行閣下寓何地名
湊素請順及弟欲知之通訊處劍秋蘇戡常
究皆亟念
閣下盍能來乎此致
味雲四兄同年姻大人 弟廣生頓首 初九日

選書備悉。江叔已從蔭伯兄閱過，渠謂杜雲川詩字崇少頤，棣高先生平未見，且是楷小字[redacted]真書長五古，但未便定價，因其集遂索四百元。弟亦願二百元以內尚可（蔭亦以為然）留之。已還其百二十元，未允。候示下再說。或加或不加，或並百二十元亦攜貴均妥，閱題如但須早緣一字，以免大擱耳。此復

味之大啟

弟廣生頓首

秋草和味雲

汪榮寶

紫塞風高百丹雕依塲誰認舊時圍斷
冰胡馬蕭蕭渡衙雪之孫緩緩誅伏莽自
隨邊吹起飄蓬還作陣雲飛松山不改
青袍色感逝欲無淚滿衣
江南風物轉淒淒一望平蕪落日依迴南
木妬鷹眼疾採香勝遺蝶魂迷古吾
閶碧前朝寺長柳爭黃十里堤春水流

波相逆地不壞過夢舊青溪
極目金臺夕照蒼青〻千里盡經霜上山
非復舊無路過闌宮殘碑蕩牆餘燼
已隨劫火盡寸心仍託春花長間增從
待尋涕淚不為離人自斷腸
兵往逢離庾信園酒餘藉坐自知暄春
池入夢猶生意霜野成游只燒痕共向
疾風標勁節終過寒日照陳根蹤難作

有啼鵑伴欲和新詩已斷魂

壬申上元偕蝶江太傅湘敏姊妹後賦之

銀海烽烟照夕明舊京廟市西春聲江河浩蕩師儔在風雪暄妍杖履輕閒向塵囂覓古逸敢從衰亂見承平集中便有斜川記衰歇何朝問姓名

秋草和乞
味雲先生吟定
怯寒向夕掩重門不見春〻舊日痕駘宕
春光原似夢悽惶秋雨已銷魂將萬作
柱知誰伴非種宜鋤豈待論只恐春歸
歸未得天涯從此怨王孫
薄寒時節雨蕭〻況復邊風響淚寒霜
陂有誰留後齒春來仍許問祖腰非花

江庸

敢莫、旛能、護出寒須知馬最驕殘月疏
星休錯認、平蕪盡處不通橋
一夕驚飈捲、地吹隔墻花葉盡只離披誰
云野火、燒能盡不是春輝詎豈遲縱化
流螢須傍後、莫、教鶗鴂有鳴時胡天
九月霜淒厲翠袖單寒、恐不支
梧桐葉落、
菊花開峕柳初殘蕭瑟門前水、一灣深
淺、易沼歧路去穩、蕩曾嘗好花看寧

江庸

期滿後翻爲蔓莫信除時尚惜蘭但
祝來春勤護灌溉參差長傍玉闌干
弟〻庸初稿

渭雲年伯大人左右：承
久假麓臺物，饋感甚，即刊
付書手帶三日內歸還趙閱畢，並附上，敬頌
著祉
年愚姪曾壽頓首
廿日

味雲丈大鑒：病中奉手教，隆大詞，如夢寐中聞廣樂也。朗筆近益渾雄，津社同人之晉遠逾流地矣。前蒙續刊紛貽，直寄江村，寒齋收與。谷青年由我作此邾致，前奉詢於布謝，不盡欲言。餘詳，古即安

恭綽上 三月廿一

再天津圖書館收木齋圖書館之書目，未知。另請代覓一分，因於查覓存詞，又輕漢不任動悚。

葉恭綽

味雲先生道席：聯事
手書隆一撫悉。詞集錄出種切
大稿陸續徐芷老作前已寄到送中
頓增光彩。現在方編已積寸餘，
無不久便可成帙。至清詞之選，其稍
須對日蕭事，請綬大吉快又驚滋
求其善者飛可印，不少也。天津市圖
書館書目未不有傳，以備考之。

木術圖書館及何此

以圖圖書館

遐菴用箋

關于圖書館時有秘籍頗多，可按精
求之。現所徵得北平、南京、蘇州、無
錫各圖書館藏目，則徐積餘
馬彝初最為富有。同人後有編詞學書
目之擬議，以能乘機兼顧，事半功倍也。
津地同社諸公佳作並乞精微見寄，不任翹
企。直接乞（並請掛號）逕寄法租界祁齊路十五號，
可免轉折。蓋愛文義路乃通信處。餘不
恆言之。順頌
古歡　恭綽上　一月八日

幽情誰道得天憐畫徧傷心夕照前荒戍寒梢千里
夢暮城潮鎖六朝烟笳鼓當路從多忌寒燈原有
獨今五見窮兵鷹眼下秦川霧恨自年年
一去寒林別路長萋吟步步與迴腸西望斷前春雨
南內悲生昨夜霜末劫此心猶奈冷晚途縱蠹不迷陽
恩袍淚與衿痕色慘綠如今亦老蒼
碧飛落嶺五湖船泗水亭荒又一時羣英相催作塌諷

郭則澐

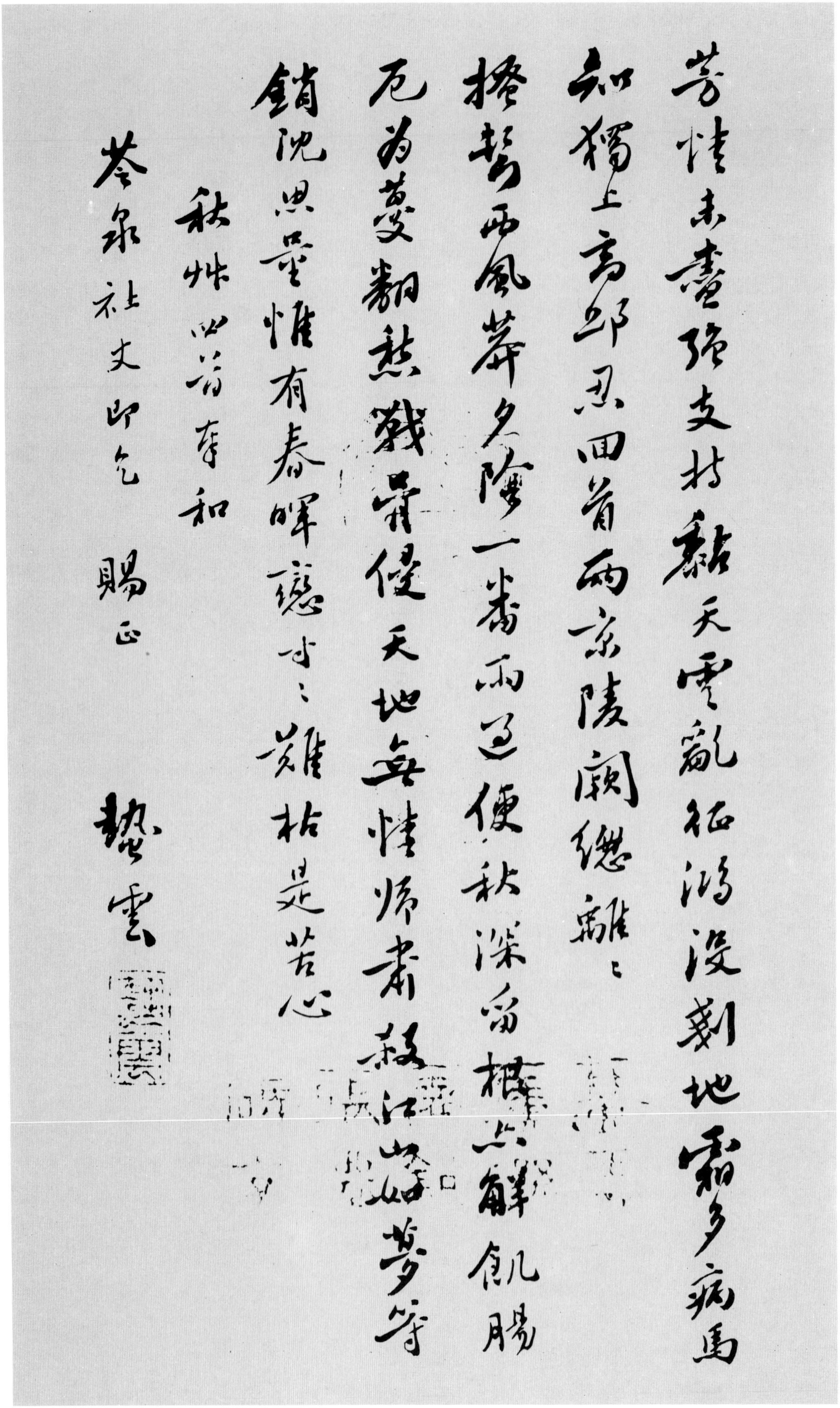

芳情未盡絕支持黏天雲亂征鴻沒劃地霜多病馬
知獨上高郎思回首兩京陵闕戀離離
撩鬢西風葬久陰一番雨過便秋深留樵點鮮飢腸
厄為蔓翻愁戰骨侵天地無情歸肅殺江山如夢等
銷沈思量惟有春暉戀寸寸難枯是苦心
秋柳四首奉和
蟄泉社丈即乞 賜正
蟄雲

郭則澐

洗盡籬頭雨笑問黃花那畔登高去閒雲誰是主元亭外招手舊盟鷗侶秋更比人愁怕故國西風先妒儘依稀簾廊立徧斜陽無語 天涯破帽依然強約登樓禁得銷魂否明年知甚處萸菊淚他日不堪重數且和義熙詩如畧似風流典午對茱萸者番換卻酒邊情素 查灣

權作登高倚北外園林落落流人在霜柯青漸殺危闌底指點烟沽如帶直北暮雲多漫重話東南滄海黯銷凝殘山滿眼夕陽無賴 依然佳節思鄉雁後關河斷夢沈蒼靄醉吟容我半停節晚算有黃花相待病起鬢星星任顛倒山巾重戴甚心情試拈瘦筆總成秋籟 蟄雲

前稿有改處請照此稿未入

龍山會 九日集雲莊小齋同填是解

切翁詞長拍定 九月十二夕錄於栖白廬

秋草四律 和長兄原均

络纬悲吟塞草根覓照湖畔出青门紫臺不絕明駝

迹荒塚難招漢女魂蕭氣西来暮雨上凄風南浦梦摇

堤

温汀蘭岸芷菁逢并付秋乾淚之痕

晚

離離原上冷清霜風屡萋菱敲葉黄别鮮蘿迷门

蟋蟀眠茵石徑見群羊緣横錢騎蟻封陣摇曳银沙

底逐殤千載霸圖同腐草殺青往事太悲涼

脂粉芳塘帝子家館娃香徑没平沙空餘瘦馬嘶荒甸

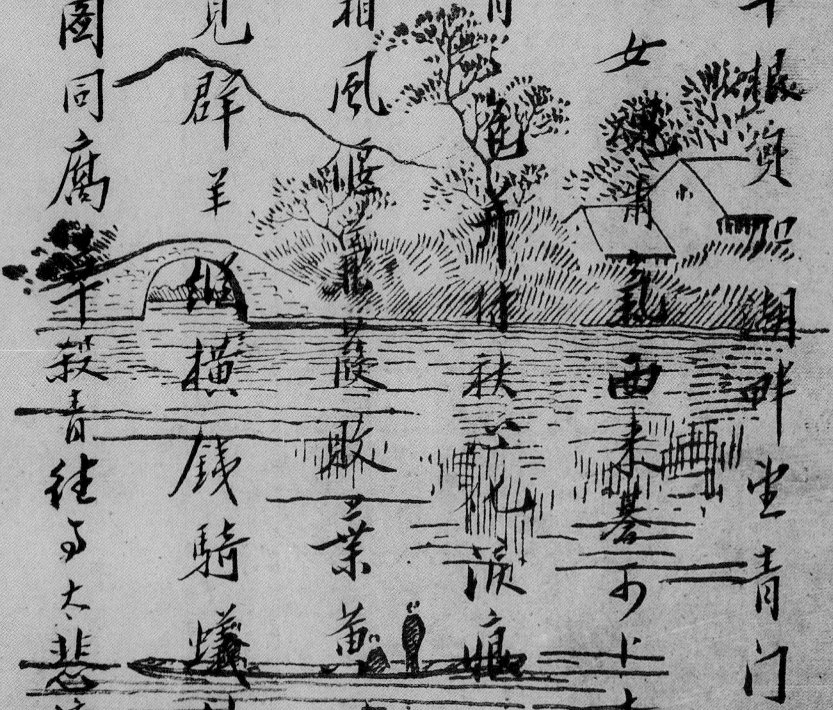

楊令茀

無復黃鸝咏落花大澤草枯羅雀散古槐葉盡集棲
鴉王孫後思年時異層火驚迴萬里車
漫向西風問菀枯池塘涼雨夢未安咸陽有晚餘蕭〻
金谷荒坡長野蕪隄上墓下波矣影蘆中琴〻雁咸苗
黃雲古道塵沙裏一片蒼茫望眼糊
長兄大人誨正　妹令茀未定草

和味雲先生秋草　叢碧

如此江山可奈何樂遊原上事蹉跎愁聽斷
角吹霜曉怕共飛蓬逐逝波古道荒涼人跡
少寒潮寂寞雁聲多斜陽忍過烏衣巷
王氣金銷玉樹歌
斷烟流水鎖銷魂况又瀟瀟雨打門已盡餘
生逢萬道猶將垂死待燎原此象毫自遠
迷殘堠黃葉初陳認舊村莫問當時飛

張伯駒

驀地西風一掃總無痕
關河景物太淒〻缺月殘霜送馬蹄昨夜夢回
青塚遠經年別憶綠雲依依松窗間簾低
久伏苒終夏翦未齊歸去玉樓休悵絕啼黃
應許到臺西
餘芳忍使雪霜侵生意尊前感不禁鏡裏有
時憐綠鬢天涯何處怨紅心淚波昔已傷蘭楫
涼露今看溼桂陰夢醒西窗蟲語亂那堪長
對夜沉〻

恭和家大人秋草四律　楊景昉

西堂春夢已闌珊轉綠回黃眼倦看勁節肯隨時
令改孤根頗識世途難能逃野火甯非幸論衡曰火所不燔謂
之幸草纔到繁霜未是寒蓬艾蕭蕭愁滿徑幾人空
谷賦猗蘭思賢
搖落邊城昨夜霜寒沙漠漠塞雲黃臙脂奪去
山無色苜蓿移來土尚香螢火餘輝原易盡兔
絲引蔓故難長玉關一路傷心碧終古蘼蕪怨
夕陽憂邊

王孫何事滯天涯毳幕秋深聽暮笳拔盡葹心
終不死化為萍梗已無家相看顛頓惟枯樹莫
遣飄流似落花夢入仙山訪瑤草可憐移植到
龍沙 懷舊

絲絲庭院歇芳菲前度鶯花夢已非闌處應
輸紅葉艷坐東漸覺綠茵稀池塘水退蛙猶
鬧城郭苔荒鶴未歸盼到東風迴陌上寸心
總是戀春暉 感時

重九後半月味雲招飲春明樓約劍秋蔭北野士緝之同游陶然亭敬原
望子庵和其伯樞並之若木居住同至以十朝名士聞中丞首西山抵東坡之為韻分得東字
連朝催送寒雲起亭子晴空天如洗良朋招我為暢秋云是城南攬天然同洛春明聚
德星瑤環十分飲杯浮燈登高預約展重陽增眼新光迟此勝恰喜今朝好趁晴龍山
高會著地摧不須連騎嶽芳塵搖是行塘依疏草小徑鋪穿曲直行右亭幽雅
山麓結峙我本錢春舊主人（乙未初夏伯羲幼霞道兄同宴徽蘭師于江亭）侵尋白髮今如此負元朝士風標
參文采風流非昔比舊鏘詩翁猶不速來重振騷壇執牛耳為連日莫負秋光以聯
分韻書連紙桂蕊看山川地宜憑闌覓句間人發起朝放寒疑之詩坐對西山翠澹然

汪曾武

蘇簃餘母味不忘所幸雅集多名士詩館晚情增聯吟劫後重來尋殷盛遊傷

離孤旅情懷人秋小集葭園啟戚衷代謝太匆匆常行樂及時斯莫矣不事扶節與宋

衷送尋常塚譯稗史家基更上一層細將去風光書法美後約相期耐歲寒還

來賞雪泥芳躔

味雲老兄同年　吟定　趣園主人鶴翁龍弟汪曾武呈草

苓泉老兄同年左右 陽昨奉
手示拙詩 奬許已當擬其題目承
時易書善但 此詩並未送與敬老 因亟錄寄 頃得復函
云誦讀補江亭一詩 情真格逸 下氣渾成 可以增色多矣 篇辭
完好 舊寫彝韻等語 亦擬移心推意也 補其全擬易去也
為補全錄送敬老 即已將來矣
路上心當器來一詞易常抄奉 殊昧名德 行三并告下
日時原以萬斯康 苓園之老 曾謹告

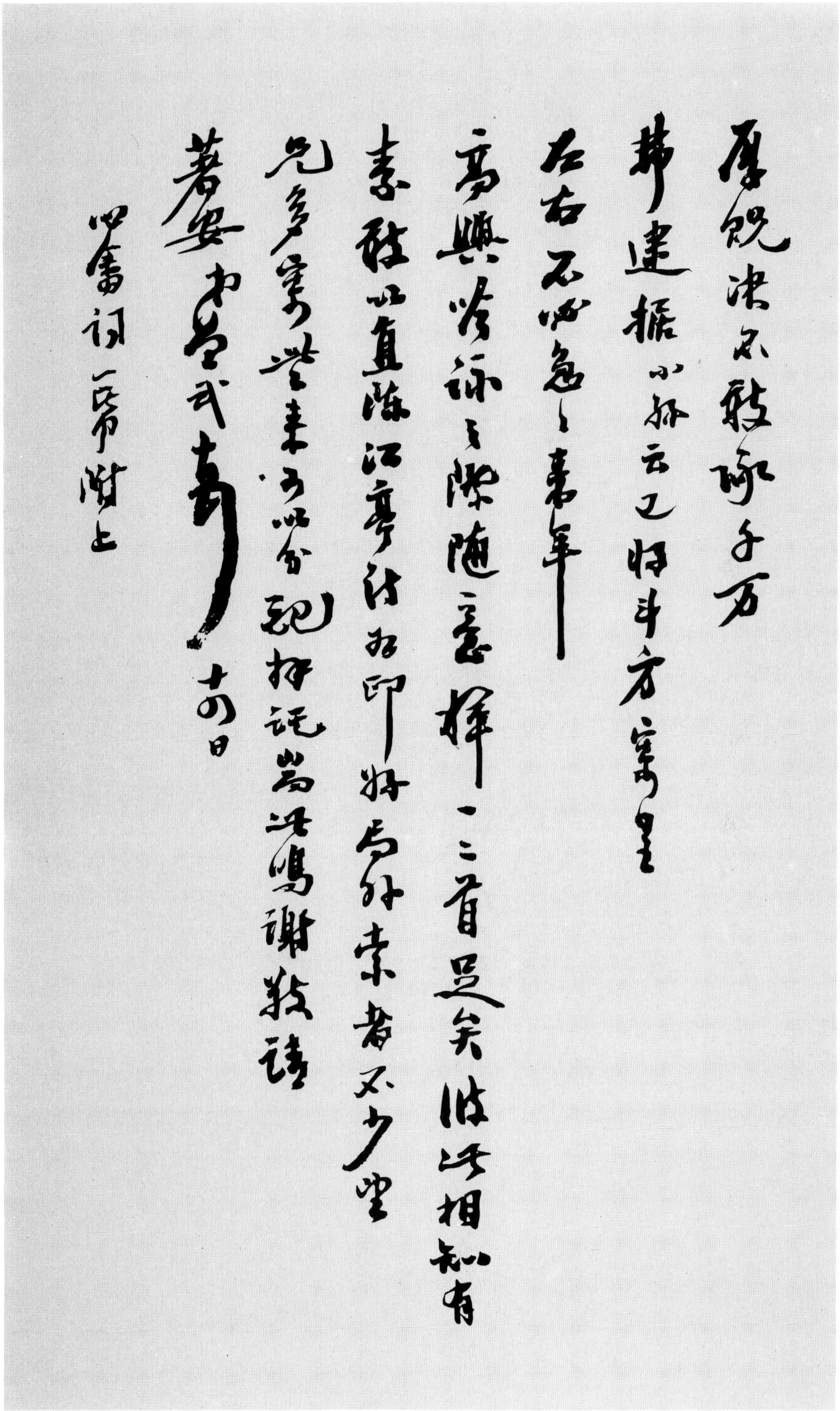

厚貺決不敢領千万拜違。振小孫云乙得斗方寫呈左右不必急急。兩年高興吟詠之際隨意揮一二首足矣。比年相知有素鼓以直隸江寧紛即將為外索者不少，望兄多寫些來，可以分配。將託嵩洲鳴謝，敬請著安。弟曾武頓首 十四日
四爺詞一冊附上

聲聲慢　題清微道人空山聽雨圖

架禪初定花封難銷虛堂向夜如何涼透紋疏應知玉井微波仙耶佛耶皆幻算人天一例蹉跎鐙簾背許孤鸞窺鏡好避嫦娥　回首精藍換世想悝松幽怨含睇煙蘿慧業三生重来肯伴摩耶低佪百年詩卷甚泥犁師秀輕訶須懺盡舊時愁都付若河

天一例蹉跎鐙簾背許孤鸞窺鏡好避嫦
娥　回首精藍換世想惺忪幽怨含睇煙
蘿慧業三生重来肯伴摩那依佃百年詩
卷甚泥犂師秀輕訶須懺盡舊時愁都付
茗柯
苓泉社長命題即乞
拍正　庚午冬日　自玉率稿

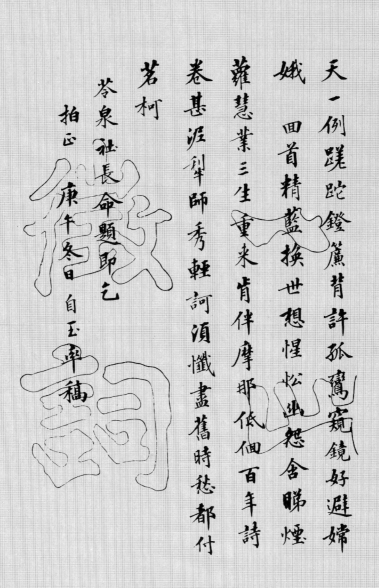

乙亥九月下澣五日 義寧師挈眷招同息厂丈蘄水陳氏兄弟及若木木公病樹飲便宜坊後遊陶然亭遊近緝之劍秋兩丈人仲屏蔭北味雲彤士諸先生分均得士字

江亭一勺水觴詠集朝士卅載連登臨負此風物美吾師義寧叟老健忘耄耆當宣南便宜坊鴨炙入刀匕九月霜天高酒醉扶杖屨招携盡遠友家人襍婦子淥羅戀寒陽賞舊後蔬擬入門獲吟儔謀野契幽旨孤峙涸壖氣寐照瞰紛市時聞禽巘衰坐覺秋氣侈肆志猛吾曹

寫生綃傳神阿堵尚書風貌如許烏紗慵整朝簪懶預搬遂初能賦還認取裙白苧衫輕青蒻圓低護頭銜向署想山愛江南漁洋招隱先儔畫師補　詩家例飯顆相逢日午苦吟曾笑工部披圖更拜東坡叟韻事何妨再舉煙外語算除小長蘆畔釣誰堪侶明湖甚處記秋柳當年銷魂絕代側帽唱金縷

右調買陂塘　味雲社長屬題漁洋山人戴笠圖

己巳三月查灣初稿

金縷曲

樊山年丈別五年矣今春來津 苓泉約飲有詞紀事

依韻奉和即乞 正拍並質 樊丈

春半寒猶峭問東風梨花客鬢是誰先到多謝苓泉瑶壺

意花徑緣誰領掃算定是樊山詩老已典春衣同沽酒更新詞

譜出穿雲調飛亂遊寄孤棹 十年輦下陪文讌擾江亭嬉春

讌集鬢留殘葉蓋料滄桑催人別衰鬢極河娗怨此地重臨

吟草詞客遊台倫落盡想鐘聲銷韻同稀少訓唱共忘昏曉

一片愁無際又是重陽旅夢驚歸計薊門橫眼底
俛闌外遠樹淒迷如薺霜信亘長天早盪起秦箏
要氣蹬回首萸囊笑換夕陽身世　依然老圃黃花
對舞金風窕慰騷人意慧山秋到未怕〻貫華負怕
有詞仙偷醉把酒向征鴻向佳節明年何似側烏帽孤
雲自喻瘦以節慵倚
龍山會　己巳九日飲集　雲在山房同拍呈奉
苓泉社長賜教　匪厂未是草

四律託興深微韻味蕭勝俯眎々
平頗長題作意但悼於篋思比數
向來不出乃取乃事適極忙殊題
戴松圖一幅七古又已成兩十餘
日間擬書之數　容下午題寄
續以道照覽　濬拜

味雲先生執事霜寒唯
興居萬福至為企頌弟於雙十節來津省視小女
昨日午後奉訪面達，藏悰藉詢令妹行蹤不審
已到奉否者姪甚懸懸也思
德滋深不知所報今辰即回平稍遲再來圖一執
手伸紙代面望
著時自愛不宣 小弟泉再拜 十月十二辰
夫人是福

帆影樓

江亭五古仍用西字韵

眺遠尋野趣命駕出城西江亭翼然峙拾級如登梯百年勝吟地兩髻日攢嵐光接樹色併綠檻外齊芳草北下風頭白向我紙車隨徑曲轉似艇入煙霧飄然一鶴來出塵氣吐霓衆僊挑雲飛高寒不可躋清泠霏玉屑諾笑絕町畦歸塗訪香塚閱年草淒迷生年日夕下飛禽不渡啼山亦吟侶過欲乞紅葉題

兩髻下脫書字

壺公楊壽枢吟草

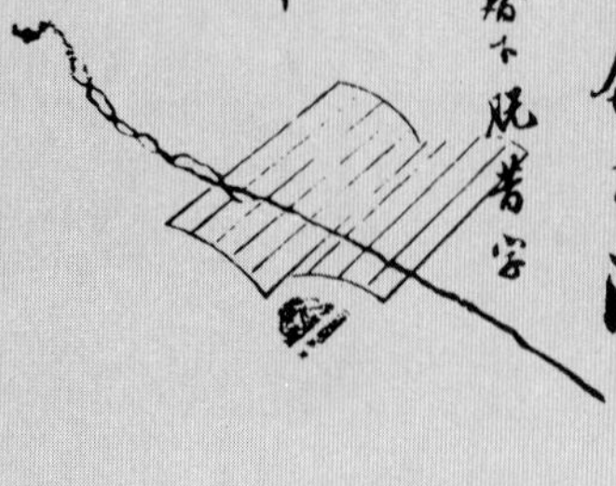

起二榔興也已眼前分明古壽依然與夢爭　古壽圖

依夢為真　起夕或化山間泡影黃分明第二幅用古壽

畢之尤也熬　傍生方命松塊仰蹦記之名名　刻

脩白鳥孤微銅　銷墨黃金但緣岳生者

絡之摊方刻未知脩之為是派言脈

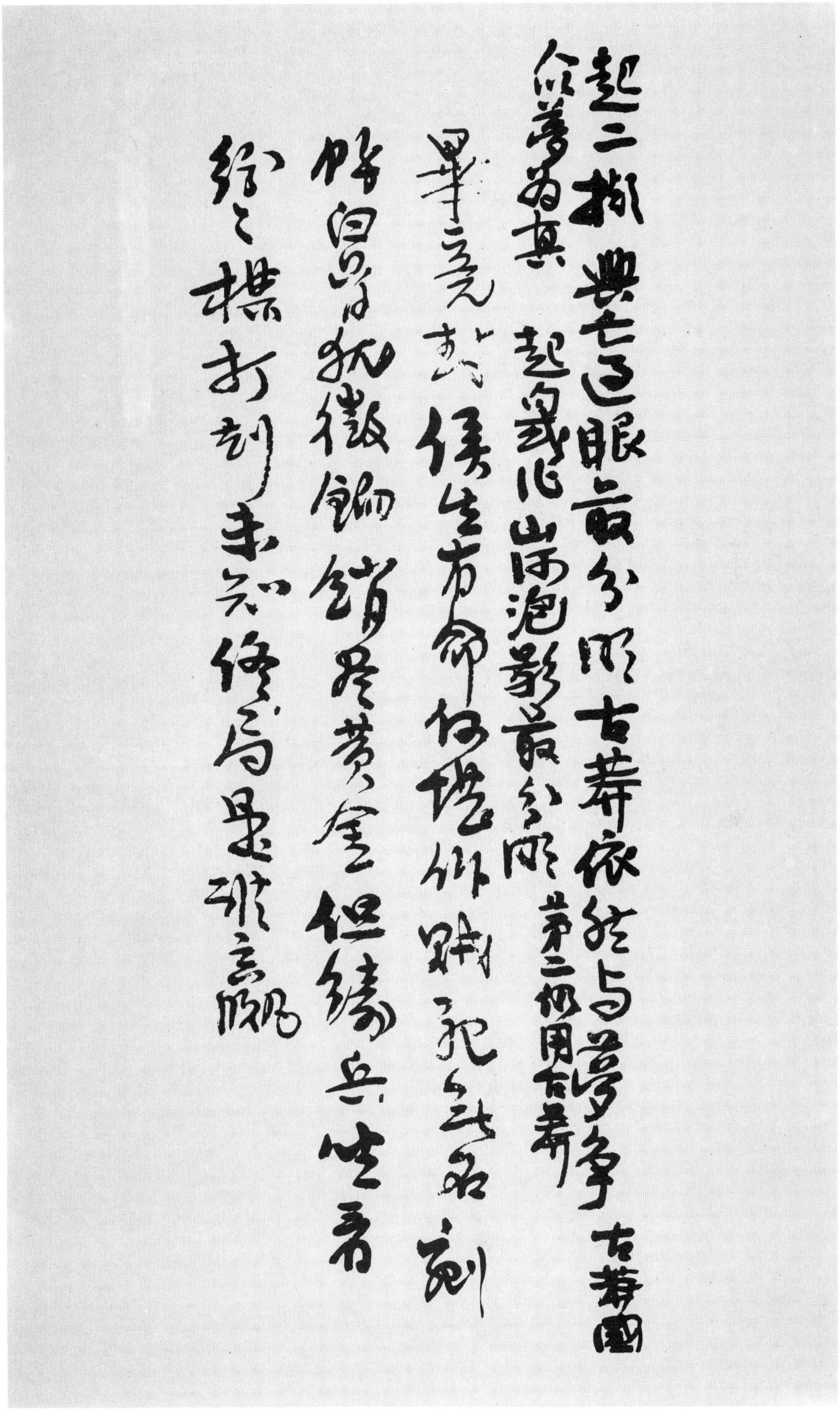

大詩起二聯不易湊以蘇擬山河泡影與與
近過眼二句第二句或用古壽條給与夢
字何如泡影句以山河本是泡影而終之
是在夢中相爭疑之與近句或稍近否
是公詩老耳宜為禱　惺吾拜白

重和
味公秋草

擬禅门四詠

萬里雲山寸寸秋蓄疑還似積茅留途中
欲語遲徵鸛沙際微光錯覓鷗日暮每憐
蘭若減霜嚴稍覺草鞋優黄花參徧都
行
了無得冷處時時夢趙州　行腳
坐見四山青又黄往来秋經十分涼蜘蛛解
綱禮殘塔蚱蜢懷聲香隱癈墻舊剎重新
徵恨晚老農相約共鉏荒佛门那用金

鋪地苔蘚幽寥意最長　住山
蒞蒞塵劫久無師此日指花偕未遲山邑
溪聲早尚識木人石女乍軒眉新霞隨喜
參玄境遠穀將秋報勝期枝蔓芟除渾
剩語心空怡是到家時　閒坐
老懶相依七尺節尋幽更不問西東禪龕
久負供花鳥梵笑誰搜篆葉蟲蟾月多
情訪潑院涼雲幾點補疎桐閒中難得
秋光助報答秋光有聽功退院
辛未秋楊僧若上稿

江亭當年故登臨佳興饒清賞秋色也著此疏頹書青
葦數頃蘆蕭蕭風起濤秋深木擺落葉見寒不凋者此將
江山誰能易市朝此亭非舊亭望空折天鶴極目無異
感課笑含哀切白髮神州淚灑春意還攜天地有壞
空王人不逍遙　敬居年丈何同伯夔君偕諸公遊陶
然亭分韻得朝字寫奉
吟正　若木蒯壽樞呈草

作者小傳

按生年編次。缺者按姓名筆劃。

樊增祥（一八四六——一九三一）字嘉父，一字雲門，號樊山，又號天琴老人。湖北恩施人。清光緒三年進士，改庶吉士。曾任渭南知縣，累官陝西江寧布政使，護理兩江總督。師事張之洞、李慈銘。工詩擅詞及駢文。有《東溪竹堂樂府》二卷，《五十麝齋詞賡》三卷，總名《樊山詞》。又輯《微雲榭詞選》十卷。

陳寶琛（一八四八——一九三五）字敬嘉，又字伯潛，號弢庵。福建閩縣人。同治七年進士，改庶吉士，授翰林院編修。歷任內閣學士，禮部侍郎，山西巡撫等職。後為溥儀師傅，列為溥儀『智囊』。一九三二年赴東北偽滿洲國。後被鄭孝胥排擠南返。善書法，字師黃庭堅，瘦堅遒勁。工畫松。喜藏古印。有《澂秋館印存》、《滄趣樓詞》。

陳夔龍（一八五五——一九四八）字筱石，又作小石。貴州貴陽人。光緒進士。後任順天府尹。戊戌變法時，反對維新。歷任河南布政使，漕運總督，河南巡撫，江蘇巡撫和四川總督。一九〇九年任直棣總督兼北洋大臣。辛亥革命時，曾鎮壓灤州新軍起義，又痛罵袁世凱是亂臣賊子。後隱居上海。一九一七年張勛復辟，被任為弼德院顧問大臣。著有《夢蕉亭雜記》。

鄭孝胥（一九六〇——一九三八）字蘇戡，又字太夷。福建閩侯人。光緒八年舉人。歷任中國駐日使館書記官和神戶領事，督辦廣西邊防事務，安徽、廣東按察使，湖南布政使。辛亥革命後，以清朝遺老自居。後得溥儀賞識，先後任『懋勤殿行走』、『總理內務府首席大臣』。一九三一年九一八事變後，唆使溥儀到東北，充當日帝傀儡。次年偽滿洲國成立，任偽國務總理兼文教部總長等職。詩和書法頗有名，著有《海藏樓詩》。

章　梫（一八六一——一九四九）字一山。浙江寧海人。俞曲園弟子。光緒甲辰翰林。丁未散館，以辦學務授檢討，官學部左臣。寄跡上海及天津。善書法，向習六朝北碑、秦漢篆隸，皆得其妙。晚年喜李北海、孫過庭諸家。有《抱冬小識》、《一山文存》、《康熙政要》、《德宗實錄》等著作。

王式通（一八六四——一九三一）字書衡，號志盦。山西汾陽人。光緒二十四年進士。歷任型部主事，大理院少卿，司法次長、政治會議秘書長，政事堂機要局局長，國務院參議，清史館纂修，故宮博物院管理委員會副委員長，東方文化事業總委員會委員等職。著《弭兵古義》，有《題島彥楨皕宋樓藏書源流故絕句十二首》，注釋甚詳。

章　鈺（一八六四——一九三四）字式之，號茗簃。江蘇長洲人。光緒二十九年進士。曾任外務部主事。民國以後居天津，校訂著書。精於校讎，有《胡刻通鑑正文校宋記》、《胡刻通鑑正文校宋記述略》、《四當齋集》、《四當齋藏書目》等著作。

周學熙（一八六五——一九四七）字緝之，晚號止庵。安徽至德（今東至）縣人。光緒十九年順天鄉試中舉。一〇九一年被袁世凱委任為山東大學堂督辦。後又主持北洋實業，總辦直隸工藝總局，升至直隸按察使。民國後兩度出任財政總長，籌設實業銀行和興辦紡織工業等。因反對袁世凱帝制，被軟禁，至帝制失敗後始復自由。一九一九年，徐世昌委任為全國棉業籌備處督辦成立長蘆棉墾局。氏為北方著名實業家，團體內有開灤礦務局、啟新洋灰公司、華新紗廠、中國實業銀行、耀華玻璃廠和京師自來水公司等企業。

孫　雄（一八六七——一九三五）原名同康，字師鄭，號鄭盦，別號樸庵。江蘇昭文人。光緒進士，翰林院庶士。後任吏部主事，學部辦理，北洋客籍學堂監督，京師大學文科監督。一九〇九年去日本考察帝國大學學制。與唐文治、陳慶年、章際治、趙椿年齊名。有《師鄭堂集》、《鄭齋漢文編》、《荀子校釋》、《眉韻樓詩話》、《眉韻樓詩話續編》、《舊京詩存》、《舊京文存》、《詩史閣叢刊》等著作。

楊壽枬（一八六八——一九四八）字味雲，江蘇無錫人。光緒辛卯舉人。官度支部左參議。乙巳冬隨鎮國公載澤出洋考察政治。歸國後籌備立憲，充清理財政處總辦，創辦預算決算。一時目為財政專家。民國後，歷官長蘆鹽運使，山東財政廳長，兩任財政部次長兼鹽務署署長，無錫商埠督辦，全國棉業督辦。偕周學熙創辦天津、唐山、衛輝華新紗廠及中國實業銀行。晚號苓泉居士，與當代名流詩酒往還。所著《雲在山房類稿》收《思沖齋文鈔》、《駢體文鈔》、《詩鈔》、《缽社偶存》、《鶩摩館詞鈔》、《藏庵幸草》、《秋草齋詩鈔》、及詩話、漫錄、雜記、叢錄等十餘種。丙寅在無錫重修貫華閣，倩吳觀岱為之圖。同時名流題圖者近百家。章士釗廿年踐諾，壬寅為圖補題詩。一時和者有葉恭綽、汪東、沈尹默、瞿宣穎、夏承濤、陳器伯、周錬霞等數十家，傳為美談。辛未沈陽之變，感傷時事，賦秋草四章。和者甚眾，成秋草唱和集。東瀛詩人尊為楊秋草而不名。

趙椿年（一八六九——一九四二年）字劍秋，晚年署坡鄰。江蘇武進人。清未進士。歷任工商部參事，財政次長，稅務處會辦，大總統府財政顧問，審議院副院長，北京古學院金石研究員。工書能詩。著有《覃研齋石鼓十種考釋》、《覃研齋詩存》。

丁傳靖（一八七〇——一九三〇）字修甫，號闇公，別署滄桑詞客，貪瞋痴阿羅漢。江蘇丹徒人。

光緒丁酉副貢。陳寶琛長禮學館，荐為纂修。民國後，寄寓津門，與陳寶琛、楊苓泉、樊樊山等相游宴。工書法，不訂潤例，求者接踵。著述甚富，有《闇公詩存》、《秋華堂詩文》、《福慧雙修庵記》、《明事雜詠》、《四庫全書人名韻編》、《福慧雙修滄桑豔》、《霜天碧》、《七曇果》三種傳奇。

夏壽田（一八七〇——一九三五）字耕父，號午詒，又號直心居士。湖南桂陽人。光緒戊戌榜眼，任翰林院編修，約法會議議員，總統府秘書。書工篆、真，並善篆刻。

劉春霖一八七二年生。字潤琴，號石箕。河北肅寧人。光緒甲辰恩科狀元，其後廢科舉，故自稱第一人中最後人。早年肄業保定蓮池書院，師事吳摯甫。高中後，任直棣高等學堂監督。民國三年任大總統府內史秘書。喜藏書，積萬餘冊。退隱後，以有狀元科名，訂潤賣字，頗應接不暇。其書圓勻平正，為典型之館閣體。

傅增湘（一八七二——一九五〇）字淑和，號沅叔。四川江安人。近代學者、教育家。光緒進士。清末任直隸提學使。曾先後創辦天津北洋女子師範學堂、京師女子師範學堂。一九一一年和一九一七年，分別任唐紹儀顧問和王士珍內閣教育總長。以後長期從事圖書收藏和版本目錄研究，收藏善本書共六萬六千多卷。有《藏園群書題記初集》、《雙鑒樓善本書目》、《宋代蜀文輯要》、《清代典型考略》。

夏仁虎一八七三年生。字蔚如，江蘇江寧人。歷任清庭御史、民國北京政府鹽務署秘書、財政部參事和次長。後任東方文化事業總委員會地方志續修提要編纂、文學研究會研究員。有《嘯庵詩稿》、《嘯庵文稿》、《玄武湖志》、《舊京瑣記》、《碧山樓珠庵記傳奇》等著作。

宗子威一八七四年生。字子威，江蘇常熟縣人。光緒己酉科拔貢，江蘇游學預備科卒業。歷任北京師範學校國文主任教員，國立美術專門學校國文教授，華北大學文學糸教授，北平鐵路大學國文教授，東北大學文學糸專任教授，湖南大學中國文學糸主任教授。有《夷門賸草》、《燕游吟草》、《度遼吟草》、《劫解吟》、《南歸集》、《湖中吟》、《駢體文存》、《詩鐘小識》、《小說考訂》、《修辭學概論》等著作。

關賡麟一八七六年生。字振伯。廣東南海人。光緒甲辰科進士。日本弘文院速成師範科畢業，京師大學堂化學館肄業。歷任兵部主事，郵傳部路政司主事，員外郎，財政部秘書，交通部路政司長，京漢鐵路局會辦、總辦、局長，國民政府司法院秘書，國立北京大學教授。

冒廣生（一九七六——一九五九）字鶴亭。江蘇如臯人。光緒甲午舉人。任刑部郎中，農工商部郎中，財政部顧問，鎮江關監督兼鎮江交涉員等職。晚年從事著述，輯有《五周先生集》、《永喜詩人祠堂叢刊》、《楚州叢書》第一集、《戊辰紀游詩》等著作。

汪榮寶（一八七八——一九三三）字衮父，號太玄。江蘇吳縣人。光緒二十三年縣拔貢生，後赴日本早稻田大學學政治法律和史學。歸國後任京師大學堂教習，民政部參事。清廷官制草案多出其手。民國十一年任駐日公使，一九三一年秋歸國，辭官隱居。工詩，書法渾厚。著有《詩言義疏》。

江　庸（一八七八——一九六二）字翊雲。福建長汀人。光緒二十七年去日本早稻田大學政治經濟科學習。歸國後任北洋法政大學教習、學部參事、法律館協修等職。民國時任北京法政專門學校校長、京師高等審判廳廳長、司法總長、北京法政大學校長、故宮博物院古物館長和朝陽大學校長等職。一九四九年後任上海文史館館長。能詩、善畫竹，著有《台灣半月記》、《趨庭隨筆》和《澹蕩閣詩集》。

陳曾壽（一八七八——一九四九）字仁先，又字蒼虬。湖北浠水人。清末進士，官至監察御史。辛亥革命時，曾彈劾袁世凱和慶王奕劻。工書畫，尤擅畫松及山水。詩宗『同光體』，與陳三立、陳衍齊名，時稱『海內三陳』。辛亥命後卜居杭州西湖，鬻書畫以自給。張勳復辟時，出任學部侍郎。溥儀逃往天津後，被徵召為『皇后』婉容師傅。後又隨溥儀赴東北，任偽滿洲國執政府特任秘書，近侍處長，陵廟事務總裁等職。

葉恭綽（一八八一——一九六八）字譽虎，又名裕甫，玉甫，號遐庵，晚年自稱遐翁。原籍浙江餘姚人，先世遷廣東番禺，遂為粵人。工正、行、草書，于魏碑用力至深，結構氣勢卓犖不群。尤長于榜書，真氣彌滿，具有魄力。有《遐庵清秘錄》、《遐庵談藝錄》、《遐庵詩》、《遐庵詞》、《遐庵匯稿》、《矩園餘墨》等著作。輯《全清詞鈔》。其姪葉公超為編印《葉恭綽書畫選集》行世。

郭則澐（一八八二——一九四六）字嘯麓，號蟄雲。福建侯官人。光緒癸卯進士。任翰林院編修，奉派留學日本。徐世昌首任東三省總督時，聘為幕府。旋外放，歷官浙江溫州道，浙江提學使。辛亥革命後，曾任國務院秘書長兼詮敘局局長。最後任僑務局總裁。一九二二年退居天津，從事著述，重視培育後學。有詩詞，駢體文專集及《庚子詩鑒》、《知寒談苓》、《清詞玉屑》等著作。

楊令茀（一八八七——一九七九）楊味雲之幼妹。早年從江南畫師吳觀岱學畫，旋從長兄寓京師。從林紓、陳師曾學畫，從樊樊山、丁傳靖學詩詞，造詣益深。東北淪陷後，隻身僑居美國半世紀。一九七九年在美逝世。享年九十二歲。遺囑盡獻畢生創作詩畫及所藏文物玉器，於北京故宮博物院與無錫博物館。將成立紀念館。

張伯駒（一八九七——一九八二）字叢碧。河南項城縣人。曾任上海鹽業銀行董事。與傅增湘、郭則澐、關賡麟等結成蟄園詩社，庚寅詞社。嗜收藏文物字畫。當時與張學良、袁寒雲、傅侗並稱『四公子』。歷任華北文法學院教授、故宮博物院文物專門委員、北平美術分會理事長、民盟北平臨時委員會委員。一九四九年後，歷任燕京大學藝術糸導師，北京書法研究社副主席，北京中國畫研究會理事，北京市政協委員，中國民盟總部文教委員，吉林省博物館副館長，中央文史館館員。有《紅毹紀夢詩注》、《洪憲紀事詩注》、《中國對聯話》，早年自刊《叢碧詞》、《叢碧書畫錄》、《中國書法》等著作。

楊景昉 一九一七年生。字晚翠。楊味雲幼女。從章一山、楊昀谷學詩詞。對昆曲造詣頗深。早年隨姊景暉，別號近雲館主，在津門創立雲吟國劇社，造就人才頗眾，與楊令茀同稱楊門三女。

汪曾武 生年不詳，卒於一九五六年。太倉人。一八九五年在北京，曾參加康有為『公東上書』活動。曾任職巡警部和內閣法制院。民國以後任平政院第一庭書記官。一九四九年後任北京文史館員。著有《劫餘私志》、《萍鄉文道希學工事略》、《趣園味花詞》。

胡嗣瑗 生卒年不詳。字琴初。貴州貴陽人。清末翰林。擅長詩詞、書法，熟識歷史掌故。辛亥革命後任江蘇道尹，馮國璋督軍公署秘書長。擁護張勳復辟，被任為內閣左丞。後隨溥儀到天津、東北，任『清室駐天津辦事處』顧問等職。

查爾崇 生卒年不詳。字峻丞，號查灣。順天宛平人。光緒十一年舉人。官山東河工知縣升道員。四川候補道。工詞，《全清詞鈔》收有其著作。

郭宗熙生卒年不詳。字誧白，號臣厂。湖南善化人。光緒二十九年進士，改庶吉士，授翰林院編修。派赴日本東京留學，肄業法政大學，奏派湖南長沙府中學堂監督兼學務處參議。後任吉林提學使、教育司長、吉林吉長道尹兼長喜交涉員、吉林省長等職。有《棲白廎詞》、《全清詞鈔》收有其作品。

黃　濬生年不詳，卒於一九三七年。字哲維，號秋岳。福建閩縣人。陳石遺弟子，為『宣南七子』之一。書法清秀，有似美女簪花。喜集宋人詞。著有《花隨人聖庵摭憶》，朝野掌故，如數家珍。

廉　泉生年不詳，卒于一九三二年。無錫人。家世書宦。曾任度支部郎中。汪精衛謀刺攝政王後獲釋，與廉泉全力周旋有關。良弼死，為其建良公祠。民國後隱居不仕。精研經術詞章，詩尤自成一家。另精於書畫鑒別。民國四年將珍藏千餘幅明清扇面，在神户小萬柳堂別墅展覽。命名為南湖扇面美術館。一時傳為佳話。著有《南湖集》、《南湖夢還集》。

楊壽樞生卒年不詳。字蔭北。江蘇無錫人，楊味雲從兄。光緒己丑舉人。官軍機領班，三品章京授制誥局局長。晚號壺公。喜收藏，金石書畫不乏精品。有《壺公識金錄》。張大千每至京師，輒往請教。

楊增犖生卒年不詳。字昀谷。江西新建人。光緒二十四年進士，官四川候補知府。晚居天津，與當地名流文字交往，有詩名。

蒯壽樞生卒年不詳。字若木，號圓頓。安徽合肥人。光緒癸亥進士。保薦經濟特科留學日本，東京高等工業學校工科舉人，農工商部郎中。歷任北洋工藝全書總編輯。貴胄學堂教員，郵傳部圖書通譯局總編輯和南洋勸業會審查兼郵傳部特派員等職。蒯富收藏，有宋元名跡等二萬餘件。精詩學、佛學。為南京金陵刻經處董事。

跋

予幼承先祖考石漁府君暨伯叔祖考範甫仁山兩公庭訓，論及吾邑楊氏久擅門第衣冠之盛。在清末民初，諸昆季中首推從叔祖味雲公為白眉最良。公早歲致力經世之學。中年揚歷中外，為財政專家。五十歲後，偕建德周學熙創辦華北棉業和金融事業。晚歲潛心文史，與當代名流結社唱酬，為文苑中所推崇。但政治實業格於時世，未竟厥施，固非所願也。

三十年代余就業滬上。時通誼從叔已卒業美國麻省理工學院，並得科學碩士學位。學成返國，執教於滬杭兩地最高學府。旋與從嬸榮漱仁結婚，攜手從事實業金融，得味雲公親為運籌，助榮氏解除危機，蜚聲南北。余得以常承教益為幸，併獲讀從叔昆仲所梓趨庭隅錄。益見祖德遺訓，以敦厚寬讓為家教，至親間有危難，輒致以援急之手。安定後，亦不據以為功。但遇有喪失國家社會道德立場之行為者，則必聲明事實真相。不愧黃炎，不墮家聲。

從叔嬸夫婦育有一女六男，均於一九四八年護送來台。未幾與大陸斷絕音訊，垂三十年。弟妹等來台時，年事尚幼。但均茹苦堅定，在台受完全傳統教育，卒業於各大學。繼各赴美國進修，學有專長，在美、台、港三地發展事業。豈非厚德之報歟。諸弟從政者祗五弟世緘。弟得美國西北大學博士學位後即返台工作、現任經濟部工業局局長。少年英俊，德才並茂，前程未可限量。誠吾家之千里駒也。

丁卯冬，漱仁從嬸不幸在滬逝世。己巳三月，從叔來台定居。以大陸十年動亂後，幸獲完璧之秋草齋幸草，先德翰墨緣中選輯各家詩翰墨蹟，交世緗大弟，在台影印問世。予既先睹為快，亟跋數言以附驥尾。續貂之譏，非所計也。

現在第一屆國民大會無錫區域代表，從姪楊愷齡謹跋於美利堅洛杉磯蒙市寄廬，時年七十有八。

中華民國八十年五月初版

翰墨緣名家詩翰墨蹟選輯

定價新台幣四百五十元

收藏者：楊氏雙松翠鬣館珍藏
編纂者：楊通誼
督印者：楊世緗
攝影者：上海書畫出版社
出版者：文史哲出版社
發行者：文史哲出版社
印刷者：文史哲出版社
臺北市羅斯福路一段七十二巷四號
郵撥〇五一二八八一二彭正雄帳戶
電話：三五一一〇二八
登記證字號：行政院新聞局局版臺業字〇七五五號